L'intégralité de votre livre accessible en ligne
avec une simple connexion Internet !

LIVRE-WEB
100% EN LIGNE

+ des outils utiles et intuitifs :
- sommaire interactif
- surlignage en couleurs
- notes personnelles et marque-page

Pour ACTIVER votre livre-web
Rendez-vous sur http://livre-web.com/

Pour activer un livre web, saisissez votre clé d'activation personnelle puis le mot du livre qui vous sera demandé.

Votre clé d'activation personnelle :

C55944-RP3-X45X

ATTENTION

UN COMPTE CLE INTERNATIONAL EST NÉCESSAIRE POUR POUVOIR ACTIVER UN LIVRE-WEB
CRÉEZ-LE UNE FOIS POUR TOUTES LORS DE VOTRE PREMIÈRE ACTIVATION

⊙ Enseignant / Professionnel de l'éducation

○ Étudiant(e)

○ Particulier / Professionnel hors éducation

Créer un compte

Pour toute CONNEXION ULTÉRIEURE
Connectez-vous sur http://livre-web.com/ avec vos identifiants **CLE.**

IMPORTANT
Votre clé d'activation est unique et personnelle : une fois utilisée, elle ne sera plus valide. Elle est réservée à un seul utilisateur et ne peut être partagée.
Configuration minimale requise : Internet Explorer 8, Mozilla Firefox 3.4, Chrome, Safari, Opera toutes versions.
Retrouvez les conditions générales d'utilisation sur http://livre-web.com/

CLE
INTERNATIONAL
www.cle-inter.com

écho

MÉTHODE DE FRANÇAIS
POUR L'AMÉRIQUE DU NORD

J. Girardet
J. Pécheur
avec la collaboration de
C. Gibbe

F. Olivry
Professeur au département d'Études françaises,
Université Concordia, Montréal

D. Liakin
Professeur au département d'Études françaises,
Université Concordia, Montréal

N. Liakina
Professeure au Centre d'enseignement du français,
Université McGill, Montréal

INTERNATIONAL
www.cle-inter.com

Introduction

Écho méthode de français pour l'Amérique du Nord

Écho est une méthode de français langue étrangère qui s'adresse à de grands adolescents et à des adultes débutants ou faux débutants.

Elle est conçue à partir de supports variés qui reflètent les intérêts et les préoccupations de ce public. Elle s'appuie le plus possible sur des activités naturelles, plus proches de la conversation entre adultes que de l'exercice scolaire. Elle cherche aussi à concilier le dosage obligé des difficultés avec le besoin de posséder très vite les clés de la communication et de s'habituer à des environnements linguistiques riches.

Écho pour l'Amérique du Nord propose des supports d'apprentissage actuels et centrés sur l'Amérique du Nord. Par ailleurs, dans ce livre comme dans le cahier personnel d'apprentissage, on trouvera une adresse internet et un code permettant de consulter en ligne tous les éléments de la méthode ainsi que des matériaux complémentaires : documents au plus près de l'actualité (*Les échos d'Écho*) et exercices interactifs.

Une approche actionnelle

Par ses objectifs et sa méthodologie *Écho* s'inscrit pleinement dans le Cadre européen commun de référence pour les langues (CECR).

Dès la première heure de cours, **l'étudiant est acteur. La classe devient alors un espace social** où s'échangent des informations, des expériences, des opinions et où vont se construire des projets. De ces interactions vont naître le désir de maîtriser le vocabulaire, la grammaire et la prononciation, le besoin d'acquérir des stratégies de compréhension et de production et l'envie de mieux connaître les cultures francophones.

Parallèlement, des **activités de simulation** permettront aux apprenants d'anticiper les situations qu'ils auront à vivre dans des environnements francophones.

Chaque niveau de *Écho* prépare un niveau du CECR et du DELF (Diplôme d'études en langue française).

Une progression par unités d'adaptation

Écho se présente comme une succession d'unités représentant chacune entre 30 à 40 heures d'apprentissage. Une unité comporte 4 leçons.

Chaque unité vise l'adaptation à un contexte et aux situations liées à ce contexte. Par exemple, dans l'unité 1 « Apprendre ensemble », l'adaptation consiste à mettre les apprenants à l'aise dans une classe où on ne parle que français et où les relations sont solidaires, détendues, dynamiques. Dans l'unité 2 « Survivre en français », les étudiants apprendront à se débrouiller lors d'un bref séjour au Canada.

Écho pour l'Amérique du Nord compte 3 unités.

La possibilité de travailler seul

Le cahier personnel d'apprentissage, accompagné d'un CD, permet à l'étudiant de travailler en autonomie après les cours. Il y retrouvera le vocabulaire nouveau (à l'écrit et à l'oral), pourra vérifier la compréhension d'un texte ou d'un document sonore étudié en classe et s'exercera à l'automatisation des formes linguistiques. Ce cahier s'utilise en relation avec les autres outils de référence, nombreux dans les leçons et dans les pages finales du livre (tableaux de grammaire, de vocabulaire, de conjugaison).

L'accès à différents matériaux en ligne contribue également à l'autonomie de l'étudiant.

Auto-évaluation et évaluation institutionnelle

• À la fin de chaque unité, l'étudiant procède avec l'enseignant **à un bilan** de ses savoirs et de ses savoir-faire.
• **Un fichier d'évaluation** permet le contrôle des acquisitions à la fin de chaque leçon.
• Dans **le portfolio**, l'étudiant notera les différents moments de son apprentissage ainsi que ses progrès en matière de savoir et de savoir-faire.

Structure du livre de l'élève

- Une leçon 0 (niveau A1 uniquement)

- 3 Unités comprenant chacune :
  - 1 double page « Interactions »
  - 1 double page « Ressources »
  - 1 double page « Simulations »
  - 1 page « Écrits »
  - 1 page « Civilisation »

- À la fin de chaque unité :
  - 4 pages « Bilan » à la fin de chaque unité
  - 3 pages « Projets » à la fin de chaque unité

- Des annexes :
  - Un aide-mémoire avec des tableaux de conjugaison
  - Les transcriptions des enregistrements
  - 1 carte du Canada, 1 carte du Québec, 2 plans de Montréal

- Un DVD-Rom audio et vidéo (niveaux A1 et A2)

- Un portfolio

LA PAGE D'OUVERTURE

Objectifs
de communication

LE DÉROULEMENT D'UNE UNITÉ (4 LEÇONS)

· 1 double page Interactions

Un ou plusieurs documents permettent aux étudiants d'échanger des informations ou de s'exprimer dans le cadre d'une réalisation commune. Ces prises de parole permettent d'introduire des éléments lexicaux et grammaticaux.

· 1 double page Ressources

Pour chaque point de langue important, ces pages proposent un parcours qui va de l'observation à la systématisation. Les particularités orales des faits grammaticaux sont travaillées dans la partie « À l'écoute de la grammaire ».

• 1 double page Simulations

L'étudiant retrouvera les éléments linguistiques étudiés précédemment dans des scènes dialoguées qui s'enchaînent pour raconter une histoire. À chaque unité correspond une histoire qui est représentative de l'objectif général de l'unité. Chaque scène illustre une situation concrète de communication. Elle donne lieu à des activités d'écoute et de simulation. Cette double page comporte aussi des exercices de prononciation.

• 1 page Écrits

Différents types de textes sont proposés aux étudiants afin qu'ils acquièrent des stratégies de compréhension et d'expression écrite.

• 1 page Civilisation

Des documents permettent de faire le point sur un sujet de civilisation.

À LA FIN DE CHAQUE UNITÉ

• 4 pages Bilan

• 3 pages Évasion et Projet

Ces 4 pages permettent de vérifier les capacités de l'étudiant à transposer les savoir-faire qu'il a acquis.

Ces pages sont prévues pour inciter les étudiants à s'évader de la méthode pour aller lire et écouter du français par d'autres moyens. Elles proposent à l'étudiant un projet de réalisation concrète.

LE DVD-ROM

(inclus dans le livre de l'élève) → voir page 148

Un portfolio

L'étudiant notera dans le portfolio les étapes de son apprentissage, ses expériences en français en dehors de la classe et les différentes compétences qu'il a acquises.

LES RESSOURCES COMPLÉMENTAIRES EN LIGNE

Accessibles à tous, les ressources en ligne d'Écho sont téléchargeables sur **www.cle-inter.com**

Ouverture sur le monde

Les échos d'Écho sont des documents didactisés consacrés à des faits culturels francophones et internationaux récents. Ils suivent la progression de la méthode et vous proposent des ressources pédagogiques alternatives ou complémentaires aux pages civilisation des manuels.

Variété des publics

Les lexiques multilingues, c'est tout le vocabulaire d'Écho en anglais, espagnol, portugais (brésilien), chinois (mandarin simplifié) et arabe (standard moderne), pour les enseignants ou apprenants qui apprécient cet appui.

LA VERSION NUMÉRIQUE INDIVIDUELLE

Avec le Livre-web : tout papier, tout numérique ou bi-média, *Écho* donne le choix aux étudiants !

• **Le livre-web élève :** L'intégralité de l'ouvrage en feuilletage en ligne, compatible avec tous les matériels connectés (code d'activation inclus dans le livre de l'élève).

• **Le livre-web exercices :** 150 activités interactives en ligne par niveau. Selon le type d'exercice, autocorrection, score et corrigés sont directement accessibles.

Disponible pour :
• iPad (sur AppStore)
• PC/MAC offline (clé USB en vente en librairie)
• PC/MAC online, incluse en **livre-web** dans le Livre de l'élève et le Cahier personnel d'apprentissage

Tableau des contenus

Unité 1 Apprendre ensemble

	LEÇONS			
	1 Vous comprenez ? Épisode 1 p. 6	**2** Au travail ! Épisode 2 p. 14	**3** On se détend ? Épisode 3 p. 22	**4** Racontez-moi Épisode 4 p. 30
Grammaire	• Conjugaison des verbes (présentation) • Masculin / féminin Singulier / pluriel • Interrogation (intonation) • Négation simple	• Conjugaison (verbes en -er) • Accord des noms et des adjectifs • Articles indéfinis et définis • Interrogation (*Est-ce que – Qu'est-ce – Qu'est-ce que c'est – Où*)	• Conjugaison (*faire – aller – venir – vouloir – pouvoir – devoir*) • Futur proche • Pronoms *moi, toi, lui, elle,* etc., après une préposition • On = nous	• Passé composé (présentation d'un événement passé) • La date et l'heure
Vocabulaire	• L'identité • Les lieux de la ville • Les mots du savoir-vivre	• L'état civil • Personnes et objets caractéristiques d'un pays	• Les loisirs (sports, spectacles, activités)	• Les moments de la journée, de l'année • Événements liés au temps
Discours en continu	• Se présenter à un groupe	• Énumérer ce que l'on connaît, ce que l'on aime à propos d'un pays, d'une ville, etc.	• Parler de ses activités de loisirs	• Raconter un emploi du temps passé
Situations orales	• Aborder quelqu'un • Dire son nom • Saluer – prendre congé • Remercier • Dire si on comprend	• Identifier une personne ou un objet • Exprimer ses goûts • Demander quelque chose	• Proposer – accepter ou refuser une proposition • Demander une explication • Exprimer la possibilité / l'impossibilité, l'obligation	• Demander / donner des précisions sur le temps • Demander / dire ce qu'on a fait • Féliciter
Phonétique	• Repérage des sons difficiles [ʒ] – [y] • Rythmes et enchaînement	• Marques orales du féminin et du pluriel • Différenciation « je » - « j'ai » - « j'aime » • Rythmes et enchaînement	• [v] – [f] • Rythme du groupe « verbe + verbe » et de la phrase négative	• Différenciation présent / passé • Enchaînement avec [t] et [n]
Compréhension des textes	• Écrits de la rue	• Articles de presse Portrait d'une personne	• Cartes et messages d'invitation, d'acceptation ou de refus	• Journal personnel • Compréhension d'une chronologie
Écriture	• Correspondance sons / graphies	• Se présenter sur un site Internet	• Cartes et messages d'invitation, d'acceptation ou de refus	• Rédaction d'un fragment de journal personnel
Civilisation	• L'espace francophone	• Première approche de la société canadienne (noms, âges, origines, lieux d'habitation)	• Première approche de l'espace du Québec. Repérage de quelques lieux de loisirs Document 1	• Rythmes de l'année et rythmes de vie au Canada • Personnalités du monde francophone. Document 2

Évaluation p. 38   **Évasion :** ...en français **p. 42**   **Projet :** Sortie virtuelle **p. 42**

Unité 2 Survivre en français

	LEÇONS			
	5 **Bon voyage !** Épisode 5 p. 46	**6** **Bon appétit !** Épisode 6 p. 54	**7** **Quelle journée !** Épisode 7 p. 62	**8** **Qu'on est bien ici !** Épisode 8 p. 70
Grammaire	· Comparaison · Adjectifs démonstratifs · Adjectifs possessifs	· Articles partitifs · Emploi des articles · Interrogation (forme avec inversion) · Réponses : *oui – si – non* · Forme possessive : « à + pronom »	· La conjugaison pronominale · L'impératif · L'expression de la quantité (*peu – un peu de – quelque –* etc.)	· Prépositions et adverbes de lieu · Verbes exprimant un déplacement (emploi des prépositions)
Vocabulaire	· Les voyages · Les transports	· La nourriture · Les repas · La fête	· Les activités quotidiennes · Les achats, l'argent	· Le logement · La localisation · L'orientation · L'état physique · Le temps qu'il fait
Discours en continu	· Présenter les avantages et les inconvénients d'une activité	· Décrire et raconter un repas ou une fête	· Raconter sa journée	· Parler d'un cadre de vie (lieu – climat – etc.) · Décrire son logement
Situations orales	· Choisir, négocier une activité commune · Faire des recommandations · Demander / donner une explication · Situations pratiques relatives au voyage	· Situations pratiques à l'hôtel et au restaurant	· Demander des nouvelles de quelqu'un · Choisir, acheter, payer un objet · S'informer sur la présence ou l'existence d'une personne ou d'un objet	· S'informer sur l'état physique de quelqu'un · S'informer sur un itinéraire, une orientation · Demander de l'aide · Exprimer une interdiction
Phonétique	· Sons [ɔ] – [ɔ̃] · Différenciation [y] – [u] · Différenciation [b] - [v] – [f]	· Rythme et intonation de la question · Rythme de la phrase négative (*pas de...*) · Rythme et enchaînement avec [ə]	· Rythme de la conjugaison pronominale · Intonation de l'impératif · Prononciation des pronoms toniques	· Différenciation [s] – [z] [a] – [ɑ̃] · Prononciation de [ʒ] · Différenciation du masculin et du féminin des adjectifs
Compréhension des textes	· Article de presse Relation d'un événement	· Extrait de guide touristique : restaurants originaux du Québec	· Extrait d'un guide touristique : les activités gratuites au Canada	· Lettre ou carte postale (nouveau logement et nouveau cadre de vie)
Écriture	· Récit des circonstances d'un voyage	· Se présenter sur un site Internet	· Rédaction d'un bref document d'information Document 5	· Rédaction d'une carte ou d'un message de vacances
Civilisation	· Les transports au Canada Document 3	· Les habitudes alimentaires des Canadiens Document 4	· Comportement en matière d'achat et d'argent	· Le climat au Canada · Les cadres de vie (villes, banlieux et régions) Document 7

Évaluation p. 78   **Évasion :** ...dans la poésie **p. 82**   **Projet :** Poésie en liberté **p. 83**

Unité 3 Établir des contacts

	LEÇONS			
	9 **Souvenez-vous**	**10** **On s'appelle ?**	**11** **Un bon conseil !**	**12** **Parlez-moi de vous**
	Épisodes 9 & 10 p. 86	Épisodes 11 & 12 p. 94	Épisodes 13 & 14 p. 102	Épisodes 15 & 16 p. 110

Grammaire	• L'imparfait
	• Emplois du passé composé et de l'imparfait
	• Expression de la durée
	• L'enchaînement des idées (*alors, donc, mais*)
	• Le sens réciproque
		• Les pronoms compléments directs
		• Les pronoms compléments indirects de personne
		• L'expression de la fréquence et de la répétition
			• Expression du déroulement de l'action
			  – passé récent
			  – présent progressif
			  – futur proche
			  – action achevée / inachevée
			• Les phrases rapportées
				• La place de l'adjectif
				• La proposition relative finale avec «qui»
				• C'est / il est
				• Impératif des verbes avec pronoms
				• La formation des mots

Vocabulaire	• Les moments de la vie • La famille • Les relations amicales, amoureuses, familiales	• Les moyens de communication (courrier, téléphone, Internet)	• Le corps • La santé et la maladie	• La description physique et psychologique des personnes • Les vêtements • Les couleurs
Discours en continu	• Raconter brièvement un souvenir • Présenter sa famille • Faire brièvement la biographie d'une personne Document 8	• Parler des moyens de communication	• Parler de ses activités de loisirs	• Exposer un problème personnel (santé, relations, etc.) • Donner des conseils à quelqu'un qui a un problème personnel
Situations orales	• Demander / donner des informations sur la biographie d'une personne, sur ses relations amicales ou familiales • Interroger quelqu'un sur ses projets	• Aborder quelqu'un • Se présenter • Faire valoir son droit • Exprimer une opinion sur la vérité d'un fait	• Téléphoner • Prendre rendez-vous • Exposer un problème / réagir	• Prendre rendez-vous • Demander / donner une explication
Phonétique	• Le [j] • Différenciation [ɔ] et [ɔ̃] [ɔ̃] et [ɑ̃]	• Rythme des constructions avec pronoms • Différenciation [ʃ] – [ʒ] – [s] – [z]	• Son [y] • Rythme des constructions négatives • Rythme des constructions du discours rapporté • Son [p] et [b]	• Différenciation masculin / féminin • Différenciation [ø] et [œ]
Compréhension des textes	• Pages spectacles d'un magazine : présentation de films sur le thème du couple	• Messages de vœux, souhaits, remerciements, félicitations, excuses	• Extraits de magazines : instructions	• Extraits de magazine : description de comportements
Écriture	• Rédactions de commentaires de photos (album souvenirs)	• Rédaction de petits messages en relation avec ceux qui ont été étudiés en lecture	• Bref exposé écrit d'un problème personnel • Rédaction de conseils	• Se présenter par écrit
Civilisation	• Le couple et la famille	• Conseils de savoir-vivre au Canada	• Conseils pour faire face aux situations d'urgence	• Quelques styles comportementaux et vestimentaires au Canada Document 6

Évaluation p. 118   **Évasion :**... au théâtre **p. 122**   **Projet :** Improvisation **p. 123**

QUÉBEC

Comment vous vous appelez ?

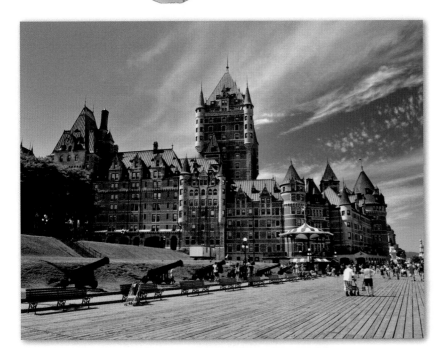

❶ **La guide :** Bonjour, monsieur.
Le touriste : Bonjour, madame.
La guide : Vous vous appelez comment ?
Le touriste : PELLETIER, Luc PELLETIER.

❷ **La touriste :** Je m'appelle HUMPHRIES.
La guide : Comment ?
La touriste : HUMPHRIES Emily.
La guide : Vous pouvez épeler, s'il vous plaît.
La touriste : H-U-M-P-H-R-I-E-S.
La guide : Merci.

❸ **La guide :** Et toi, comment tu t'appelles ?
L'enfant : Clara MOREAU.

Écho voyage

Le tour du monde francophone

a

b

c

S'appeler

• Je m'appelle…
Tu t'appelles… (forme familière)
Vous vous appelez…

• Comment vous vous appelez ?
Je m'appelle Anne VÉZINA.

❶ **Écoutez, le professeur se présente :**
« Je m'appelle… »

❷ **Associez les dialogues ci-dessus avec les dessins.**

❸ **Présentez-vous.**

❹ **Écoutez et répétez l'alphabet (livre p. 12 exercice 1).**

❺ **Épelez votre nom.**

0 Parcours d'initiation

Vous parlez français ?

Parlamento europeo
European Parliament
Parlamento europeu
Europäisches Parlament
Parlament Europejski
Parlement européen
Ευρωπαϊκό κοινοβούλιο
Europees Parlement
Европейски парламент

Liste des participants

EL MESSAOUDI Hakima
HUMPHRIES Emily
GRÜNBERG Dieter
KANDISKI Igor
PELLETIER Luc
MARTINI Luigi
MENDOZA Adriano
UZUMER Azra
WANG Liu
WILSON Diana

– Excusez-moi, vous parlez français ?
– Non.
– Moi, je parle français.

1 Associez les mots ci-contre et les langues.

☐ allemand   ☐ anglais
☐ bulgare   ☐ espagnol
☐ grec   ☐ français
☐ hollandais   ☐ italien
☐ polonais   ☐ portugais

2 Lisez la liste des participants. Imaginez quelle langue ils parlent.

Exemple : Il parle ....
         Elle parle ....

• allemand   • anglais
• arabe   • chinois
• espagnol   • français
• italien   • portugais
• russe   • turc

3 Quelle(s) langue(s) parlez-vous ?

Parler

Je parle français.

Tu parles espagnol.
Vous parlez chinois.

Il parle italien.
Elle parle portugais.

Vous êtes allemande ?

La serveuse : Et voici un café.
Luigi : Merci. Vous êtes belge ?
La serveuse : Non, je suis allemande.
Luigi : Vous parlez bien français.
La serveuse : Merci. Et vous, vous êtes français ?
Luigi : Non, italien.

Être

Je suis française.

Tu es portugais.
Vous êtes chinois.

Il est anglais.
Elle est japonaise.

Les nationalités

Il est...	Elle est...
français	française
chinois	chinoise
espagnol	espagnole
allemand	allemande
mexicain	mexicaine
canadien	canadienne
grec	grecque
belge	belge

1 Lisez le dialogue.
Dites quelle est votre nationalité.

2 Lisez le tableau ci-contre. Complétez le tableau suivant avec le féminin ou le masculin.

Il est...	Elle est...
anglais	
	italienne
espagnol	
	suédoise
indonésien	
	russe
marocain	
	turque

3 Complétez avec *être, s'appeler, parler.*
Au Parlement européen de Bruxelles
• Bonjour, je .... Eva Conti. Je .... députée européenne.
– Vous .... italienne ?
• Non, je .... allemande.
– Vous .... français ? Moi, je .... polonais.
• Ah, je .... un peu polonais.

4 Quelle est leur nationalité ?
Il est .... Elle est ....

Chanteurs célèbres

Bob Marley	Katy Perry
Shakira	Céline Dion
Mika	Adele
Stromae	

GENÈVE

Tu habites où ?

Emily : Et... tu habites où au Canada ?
Luigi : À Caraquet.
Emily : C'est où ?
Luigi : Au Nouveau-Brunswick.

Les nombres

1 – un (une)	5 – cinq	9 – neuf
2 – deux	6 – six	10 – dix
3 – trois	7 – sept	
4 – quatre	8 – huit	

L'adresse

Il habite... Elle habite...
Il est... Elle est...
... à Montréal (à Rome, à Nice...)
... en France, en Italie, en Gaspésie (noms de pays ou de régions féminins)
... au Canada, au Portugal (noms masculins)
... aux États-Unis (noms pluriels)

BONNES ADRESSES

VILLE DE GENÈVE

▶ Restaurant Le Flore
9, rue de la Fontaine

▶ Chez ma cousine
6, place du Bourg-de-Four

▶ Hôtel Central
2, rue de la Rôtisserie

▶ Demi-Lune Café
3, rue Étienne-Dumont

▶ Musée Ariana
10, avenue de la Paix

❶ Lisez. Attention aux enchaînements

un restaurant – un café – trois musées
un enfant – un hôtel – un Anglais
une avenue – une adresse – une Anglaise
trois enfants – six Américains – dix Européens
quatre Italiens – cinq Irlandais – sept Espagnols – neuf Allemands

❷ Complétez avec *à, au, en.*

• Où habite Adriano ? .... Brésil ? .... Argentine ?
– Il habite .... São Paulo, ... Brésil.

• Où est le musée du Louvre ?
– Il est .... France, ... Paris.

• Où est l'Empire State Building ?
– Il est ....

• Où est l'Acropole?
– ....

Continuez. Posez des questions à votre voisin(e).

❸ Lisez les bonnes adresses de Genève. Donnez les bonnes adresses de votre ville.

❹ Dialoguez. Parlez de votre ville.

Tu habites où ? ....
Où est le restaurant .... ?

RABAT

Qu'est-ce que c'est ?

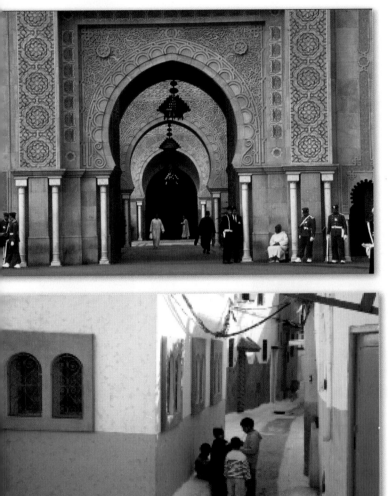

Luc : Qu'est-ce que c'est ? C'est un palais ?
La guide : Oui, c'est le palais du roi.

....

La guide : Ici, c'est l'avenue Mohamed-V.
Luc : C'est une belle avenue !

La guide : Ici, c'est
un beau quartier.
C'est le quartier
des Oudayas.

1 Lisez le dialogue. Notez les lieux. Observez.

Indications imprécises	Indications précises
un palais	

2 Complétez avec *un, une, des*.

.... rue .... avenues .... quartier

.... café .... théâtre .... restaurants

3 Complétez avec *le, la, l', les*.

.... Parlement européen de Strasbourg.

.... hôtel Danieli à Venise.

.... rues du Quartier latin.

.... musée du Louvre à Paris.

.... restaurants français de New York.

.... rue Robson à Vancouver.

4 Complétez avec *un, une, des* ou *le, la, l', les*.

Vue de .... *tour Eiffel à Paris*

• Ici, c'est .... quartier Montmartre.

– Et là, qu'est-ce que c'est ?

• C'est .... Arc de triomphe, ... monument célèbre.

Identifier les choses

• Qu'est-ce que c'est ?
– C'est un restaurant.

• un restaurant   une rue
  des restaurants   des rues

→ Pour préciser
C'est le café Demi-Lune.
C'est la rue de la Rôtisserie.
C'est l'avenue Mohammed-V.
Ce sont les rues du quartier des Oudayas.

5 Vous comprenez ces mots. Associez les mots des deux colonnes.

Exemple : C'est une boutique. C'est la boutique Chanel.

un cabaret	Chanel
un film	la BMO
un journal	le Moulin Rouge
un musée	le MoMa
une avenue	le *Globe and Mail*
une banque	Tian'anmen
une boutique	les Champs-Élysées
une place	la BBC
une radio	CBS
une télévision	*Titanic*

Qui est-ce ?

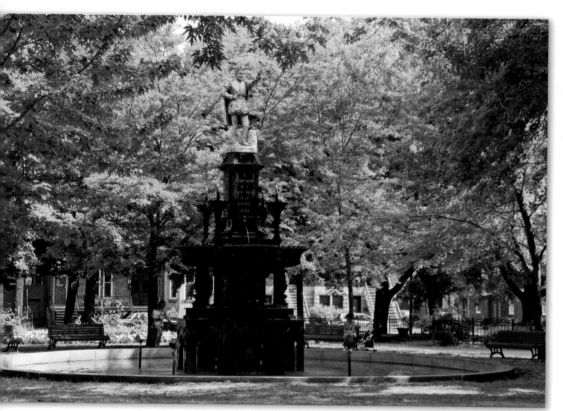

La guide : Regardez la statue !
Hakima : Qui est-ce ?
La guide : C'est Jacques Cartier.
Hakima : Jacques Cartier ?
La guide : Oui, un navigateur, le premier navigateur français au Canada.

Identifier les personnes

• Qui est-ce ?
– C'est Diana.
C'est une touriste. C'est une Anglaise.
C'est une touriste anglaise.
• un guide – une guide – des guides
un Allemand – une Allemande – des Allemands – des Allemandes

→ **Pour préciser**
le guide des touristes
les professeurs de l'université
la serveuse du restaurant
les serveuses du restaurant

→ **Pour caractériser**
Voici Azra. Elle est turque. Elle est étudiante.
Voici Luis. Il est mexicain. Il est professeur.

1 Complétez avec *un, une, des* **ou** *le, la, l', les.*

• Bono, qui est-ce ?
– C'est .... chanteur. C'est .... chanteur du groupe U2.

• Qui est Stephen Harper ?
– C'est .... premier ministre du Canada.

• Comment s'appelle .... guide du groupe ?
– Elle s'appelle Marie.

2 Associez les personnes et les professions.
Exemple : Bono est chanteur.

Barack Obama	•	• artiste
Albert Einstein	•	• comédien
Beethoven	•	• comédienne
Bruce Willis	•	• chanteur
Pablo Picasso	•	• chanteuse
Garou	•	• femme politique
Angela Merkel	•	• homme politique
Penelope Cruz	•	• musicien
Madonna	•	• scientifique

3 Présentez-les.
Elle s'appelle .... Il s'appelle .... Il est ....
C'est un .... Elle est .... C'est une ....

PARIS

Vos papiers, s'il vous plaît !

PASSEPORT
PASSPORT

RÉPUBLIQUE FRANÇAISE

Type/Type P   Code du pays/Country code FRA   Passeport n°/Passport no. 09AP86498

Nom/Surname (1)
RICHARD, ép. MEUNIER

Prénoms/Given names (2)
ANNE-LAURE,MARIE,ANGÉLA

Nationalité/Nationality (3)   Sexe/Sex (5) Taille/Height (12) Couleur des yeux/Colour of eyes (13)
Française   F   1,70 m   MARRON-VERT

Date de naissance/Date of birth (4)   Lieu de naissance/Place of birth (6)
11 03 1978   SURESNES

Date de délivrance/Date of issue (7)   Domicile/Residence (11)
23 04 2009   84 RUE LA FAYETTE
                                         75010 PARIS
Autorité/Authority (9)   FRANCE
PRÉFECTURE DU VAL-D'OISE

Date d'expiration/Date of expiry (8)
22 04 2019

P<FRARICHARD<<ANNE<LAURE<MARIE<ANGELA<<<<<<<
00AP894985FRA7807196F1904240<<<<<<<<<<<<<<04

FICHE DE RENSEIGNEMENTS

Nom : ....

Prénoms : ....

Nationalité : ....

Adresse : ....

....

N° de téléphone : ....

Courriel : ....

Dieter GRÜNBERG
Professeur d'université
6, Grand-Rue
67000 STRASBOURG

Clarisse LOISEUL
Médecine générale

110, rue marché aux Herbes 1000 Bruxelles

Manon LOMBARDO
Avocate

2, rue Saint-Pierre
Longueuil, Québec J4R 1S4

---

1 **Lisez le passeport. Complétez la fiche de renseignements ci-dessus pour vous.**

2 **Associez les mots de la fiche de renseignements avec les questions suivantes :**
a. Vous êtes français ?
b. Où vous habitez ?
c. Comment vous vous appelez ?
d. Votre courriel, s'il vous plaît.

3 **Lisez les cartes de visite. Trouvez la personne qu'ils cherchent.**
Présentez cette personne.
Exemple : **a.** Oui, je connais un médecin. Elle s'appelle .... Elle habite ....

a. Tu connais un docteur ?
b. Je cherche un avocat.
c. Je cherche un cours d'allemand.

Cartes postales et messages

Salut Julien,
Je suis à Tahiti.
La mer est belle.
J'aime les restaurants et les plages.
Les filles et garçons du groupe
sont sympathiques.
C'est super.
Bises.

Liu

RENCONTRES SYMPATHIQUES

Bonjour,
Je m'appelle Igor. Je suis russe.
Je suis étudiant en médecine.
Je parle russe, allemand, anglais et français.
J'habite à Montréal, dans le quartier Outremont.
J'aime le cinéma, le théâtre et le tennis.
Je cherche des amis et des amies.
igor-k@courriel.ca

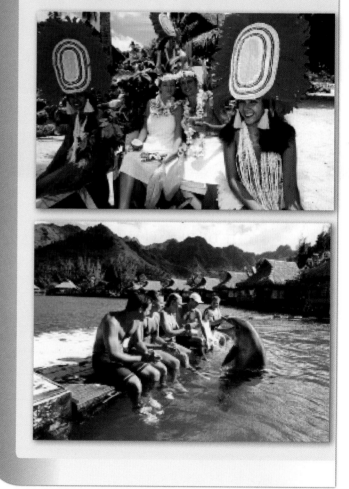

LE BLOGUE DE LUC

Vous aimez la mer, le soleil, les belles plages, les beaux villages…

Alors, **regardez** ces photos de Tahiti !

1 Lisez les documents ci-dessus et répondez.

a. Qui écrit :
• un blogue : ....
• une carte postale : ....
• un message sur un site Internet : ....

b. Qui aime :
• le sport : ....
• la photo : ....
• Tahiti : ....

c. Qui parle quatre langues ? ....

d. Qui écrit à un ami ? ....

2 Imitez le message d'Igor. Présentez-vous sur un site de rencontres.

3 Imitez la carte postale de Liu. Écrivez une brève carte postale à un(e) ami(e) francophone.

Aimer

J'aime…	San Francisco.
Tu aimes…	
Vous aimez…	l'Italie.
Il aime…	
Elle aime…	les restaurants japonais.

Unité 1

Apprendre ensemble

Pour être **acteur** dans votre classe en français
▶ **Épisode 1**

Vous allez **échanger** avec les autres les mots de tous les jours
▶ **Épisode 2**

Vous allez **participer** à votre apprentissage
▶ **Épisode 3**

Vous allez **parler de vous**, de ce que vous faîtes et de ce que vous avez fait
▶ **Épisode 4**

A

B

C

CANADA

QUÉBEC

Saint-Pierre-
et-Miquelon

NOUVEAU-BRUNSWICK

LOUISIANE

HAÏTI

Guadeloupe

Martinique

Guyane française

OCÉAN

PACIFIQUE

Polynésie
française

OCÉAN

ATLANTIQUE

BELGIQUE

LUXEMBOURG

FRANCE

SUISSE

MAROC

TUNISIE

LIBAN

ALGÉRIE

MAURITANIE

MALI

NIGER

TCHAD

SÉNÉGAL

BURKINA

GUINÉE

CÔTE
D'IVOIRE

TOGO

BÉNIN

CAMEROUN

GABON

CONGO

RÉP.
CENTRAFRICAINE

RÉP.DÉM.
DU CONGO

RWANDA

BURUNDI

DJIBOUTI

COMORES

Mayotte

MADAGASCAR

Réunion

OCÉAN

INDIEN

CANADA

■ Province francophone

■ Province bilingue

■ Province où existent des minorités francophones

MONDE

☐ Pays ou état où le français est langue maternelle, officielle ou très utilisée

☐ Autres pays

Découvrir la francophonie du Canada : cf. p. 44.

OCÉAN

PACIFIQUE

Wallis-et-Futuna

Vanuatu

Nouvelle-Calédonie

Comment on prononce ?

1• Écoutez. Ils se présentent. Complétez le tableau.

	1	2	3
Il s'appelle... Elle s'appelle...			
Il (elle) habite...			
Il (elle) est...			
Il (elle) aime...			

2• Écoutez. Voici des pays où le français est très utilisé.
Vous comprenez ? Trouvez ces pays sur la carte.

3• Classez les pays dans le tableau. Notez les différences de prononciation avec votre langue.

L**e** Sénégal - L'Al**gé**rie

le	la	l'	les
le Sénégal	la Suisse	l'Algérie	les Comores

Vous connaissez ?

1• Regardez la carte. Quel(s) pays connaissez-vous ?

2• Écoutez. Associez avec la photo.
   a. l'université de Mexico
   b. les pyramides d'Égypte
   c. le musée du Louvre
   d. le parc du Serengeti
   e. les tours de Shanghaï
   f. l'île de Marie-Galante

Utile en classe

Vous comprenez ? – Tu comprends (forme familière)
- Oui, je comprends.
- Non, je ne comprends pas.

Vous connaissez la Chine ? – Tu connais (forme familière) la Chine ?

- Oui, je connais la Chine.
- Non, je ne connais pas la Chine.

1 Vous comprenez ?

Conjuguer les verbes

Vous parlez français ?

Et lui, et elle ?

Oui, je parle français

Il parle français.
Elle parle français.

Vous parlez français ?

Oui, nous parlons français.

Ils parlent français !
Et toi, tu parles français ?

Non.
Je ne parle pas français.

1 Observez les dessins et les verbes. Montrez qui parle (« je »), à qui (« tu », etc.).

Je...

2 🎧 Écoutez. Notez l'utilisation de « tu » et de « vous ». Associez avec l'image.

a. _____

b. _____

c. _____

d. _____

3 Observez les verbes du tableau ci-dessous. Notez les prononciations différentes.

Parler → je parle, tu parles, il parle... [ə]
nous parlons... [ɔ̃]
vous parlez... [e]

4 Conjuguez les verbes.

– Vous (*être*) française ?
– Non, je (*être*) colombienne et Anna (*être*) espagnole. Mais nous (*comprendre*) le français. Et toi, tu (*être*) canadien ?
– Oui, j'habite à Ottawa.
– Ah, nous (*connaître*) Ottawa.

Les verbes

• Verbes en -er

<u>parler</u>
je parle français
tu parles italien
il/elle parle...
nous parlons...
vous parlez...
ils/elles parlent...

<u>habiter</u>
j'habite au Canada
tu habites en France
il/elle habite à New York
nous habitons...
vous habitez...
ils/elles habitent...

• Les autres verbes

<u>être</u>
je suis canadien
tu es canadienne
il/elle est...
nous sommes...
vous êtes...
ils/elles sont...

<u>connaître</u>
je connais le Canada
tu connais la France
il/elle connaît...
nous connaissons...
vous connaissez...
ils/elles connaissent...

<u>comprendre</u>
je comprends l'anglais – tu comprends...
nous comprenons... – ils/elles comprennent...

Distinguer le masculin et le féminin, le singulier et le pluriel

Voici le Cinéma Impérial, la Place des Arts, le Vieux-Montréal, les acteurs du film *L'Homme qui rit*, le directeur du Festival, l'actrice du film *Un homme et une femme*.

1 Observez les noms (personnes, lieux, choses) et classez-les dans le tableau. Complétez avec les noms des pages 6 et 7. Observez les marques du pluriel.

	noms de personnes		noms de choses	
	masculin	féminin	masculin	féminin
singulier			le Cinéma	
pluriel				

Les noms

Tous les noms sont masculins ou féminins.

	masculin	féminin
singulier	**le - l'** (devant une voyelle) le parc, l'acteur	**la - l'** (devant une voyelle) la tour, l'étudiante
pluriel	**les** les parcs, les hôtels	**les** les tours, les universités

Interroger – Répondre

Vous êtes Maria Monti ?

Non, je ne suis pas Maria Monti. Je ne parle pas italien. Je ne connais pas Maria Monti. Je n'habite pas à Rome. Je suis la secrétaire du Festival.

1 Observez et complétez.
• Elle … s'appelle … Maria Monti.
• Elle … parle … italien.
• Elle … connaît … Maria Monti.
• Elle … habite … à Rome.
• Elle … est … secrétaire.
• Elle … est … canadienne.

2 Répondez.
• Vous êtes canadien / canadienne ?
• Vous êtes professeur ?
• Vous habitez à Montréal ?
• Vous comprenez le mot « bonjour » ?
• Vous parlez bien français ?

3 Posez les questions à votre voisin(e).
Tu es canadien ? – Tu es canadienne ?
(Vous êtes canadiens ? – Vous êtes canadiennes ?)

L'interrogation et la négation

• Marie parle français ?
– Non, elle ne parle pas français. **ne … pas**
• Elle est espagnole ?
– Non, elle n'est pas espagnole. **n'… pas (devant une voyelle)**

À l'écoute de la grammaire

1 Prononcez « je » [ʒə]. Répétez.
Prénoms
Julie, tu connais ?
Non, je connais Jeanne, Justine, Joséphine, Géraldine.

2 Prononcez « tu » [ty].
Salut… D'où es-tu ? Du Pérou…, de Vancouver… ou d'Edmonton ? Tu habites où ? Rue Duluth… ou avenue du Parc ?

3 Interrogation ou affirmation ?
Cochez la bonne case.

	1	2	3	4	5	6
interrogation						
affirmation						

Vous comprenez ?

De l'autre côté de l'Atlantique

La Cité internationale universitaire.

Stage international

MUSIQUE ET DANSE

Préparation de la comédie musicale
Notre-Dame de Paris
De Richard Cocciante et Luc Plamandon

Du 2 au 31 juillet
à la Cité internationale de Paris

1 Paris, le 2 juillet, à la Cité internationale universitaire.

Lucas : « Musique et danse » ?
Mélissa : Oui.
Lucas : Tu es française ?
Mélissa : Antillaise.
Lucas : Super, les Antilles !
Mélissa : Tu connais ?
Lucas : Je connais la chanson ! (il chante)
« Belle-Île-en-Mer, Marie-Galante… »
Mélissa : Pas mal !
Lucas : Lucas… de Toulouse. Bonjour !
Mélissa : Moi, c'est Mélissa, et voici Florent.
Lucas : Ah, vous êtes ensemble ?
Florent : Eh oui, nous sommes ensemble.
Lucas : Super.

2 Paris, boulevard Jourdan.

Noémie : Excusez-moi, madame,
la Cité universitaire ?
La jeune femme : Désolée. Je ne connais pas.
Je ne suis pas de Paris.

Transcription

3 — À l'accueil du stage international.

« Musique et danse ».
Le secrétaire : Bonjour. Vous vous appelez ?
…

FICHE D' INSCRIPTION

Nom : RIVIÈRE
Prénom : Florent
Adresse : 7 rue Victor-Hugo
FORT-DE-FRANCE
Martinique
Nationalité : française
Profession : professeur

FICHE D'INSCRIPTION

Nom : LAFORÊT
Prénom : Noémie
Adresse : 24 boulevard Champlain
Laval (Québec)
Nationalité : canadienne
Profession : étudiante

4 — Le 3 juillet, à la cafétéria.

Sarah : Bonjour ! Je suis Sarah, la prof de chant.
Tous : Bonjour !
Sarah : Tout va bien ? Le café est bon ?
Lucas : Très bon.
Sarah : Et les croissants ?
Lucas : Excellents !
Sarah : Alors, à bientôt.
Tous : Au revoir.
…
Noémie : Je peux ?
Lucas : Bien sûr !

Compréhension et simulations

 SCÈNE 1. Écoutez et répondez.
a. Lucas est français ? Et Mélissa ?
b. Lucas habite Paris ?
c. Mélissa connaît Florent ?
d. Où sont Mélissa, Florent et Lucas ?

SCÈNE 2. Écoutez et écrivez le dialogue.

SCÈNE 3. Observez. Imaginez le dialogue.

SCÈNE 4. Écoutez.
Présentez les personnages de l'histoire.

Jouez une scène.
• Un nouvel étudiant arrive dans la classe.
• Une Française demande son chemin dans votre ville.

Petits mots de politesse

• Bonjour – Bonsoir
Bonjour, Lucas. – Bonjour, madame. – Bonjour, monsieur.
• Au revoir – À bientôt
• Pardon – Excusez-moi – Je suis désolé(e)
• S'il vous plaît – Merci

Sons, rythmes, intonations

1 Le rythme et l'accentuation
Au téléphone
Oui… Non… Bien.
Ça va… Et vous ?… Aussi…
Je comprends… Je connais… À Paris…
Le directeur… Un étudiant… Un Italien…
Il comprend l'anglais… Il connaît Paris…
Il parle français.

2 L'enchaînement
Je m'appelle Anna.
J'habite à Paris.
Je suis italienne.
Je parle espagnol.
Voici Roberto.
Il est espagnol.
Il habite en France.
Il est étudiant.

Les sons et les lettres

Les voyelles

En avant de la bouche						En arrière de la bouche	
voyelles fermées	[i]	un taxi – une pyramide	[y]	un musée		[u]	vous – bonjour
	[e]	un café – et	[ø] [ə]	je peux la crêperie		[o]	le métro – un restaurant – beau
	[ɛ]	très – la forêt elle – je connais une adresse	[œ]	le professeur l'accueil		[ɔ]	une école
voyelles ouvertes			[a]	une avenue			
voyelles nasales	[ɛ̃]	le vin – demain	[œ̃] [ɑ̃]	un un croissant ensemble		[ɔ̃]	bonjour – un prénom

Les consonnes

Consonnes sourdes	Consonnes sonores
[k] le café	[g] le gâteau
[t] un taxi	[d] la danse
[p] pardon	[b] bon
[ʃ] le chocolat	[ʒ] bonjour – un garage
[s] le secrétaire le centre une adresse	[z] désolé
[f] la coiffure	[v] l'avenue

Autres consonnes

Autres consonnes	
[l]	une langue elle s'appelle
[ʀ]	une rue
[m]	madame – comment
[n]	l'université – je connais
[ɲ]	la montagne

Les sons et les lettres ////////////////////////

🔊 Écoutez. Le professeur prononce les sons et les mots du tableau ci-dessus.
Répétez.
Observez comment on écrit chaque son.

Épeler ////////////////////////

1 🔊 Écoutez la prononciation des lettres de l'alphabet.

Aa Bb Cc Dd Ee Ff Gg Hh Ii
Jj Kk Ll Mm Nn Oo Pp Qq Rr
Ss Tt Uu Vv Ww Xx Yy Zz

2 Épelez à votre voisin(e) :
– votre nom, votre prénom
– un mot français

Le monde en français

CREDIT LYONNAIS SENEGAL

TAXIS

CENTRE DE COMMERCE MONDIAL
MONTRÉAL

Crêperie
Galettes
Crêpes Gourmandes
Moules Frites

Centre
Culturel
Français
法国文化中心

LE BISTROT
BAR RESTAURANT

CENTRE COMMERCIAL
MERIGNAC SOLEIL
PARKING Carrefour

PERFECTION COIFFURE
PERFECTION COIFFURE

HOTEL
DE
TOURISME
-H-
COMMISSARIAT GÉNÉRAL
AU
TOURISME

Bibliothèque
Universitaire
Chevreul

CINÉ MANIVEL

Écrit et prononciation

1 🎧 Écoutez et retrouvez les mots sur les photos.
Notez les sons difficiles. Observez les correspondances.

Son	Écriture
[ɛ] ◄─────►	cr**ê**perie - r**e**staurant

2 🎧 Notez ce qu'ils demandent.
Cherchez les sons difficiles dans le tableau de la page 12.
– le parc
...

Les mots internationaux

1 🌐 Écoutez la prononciation française des mots suivants :
Dans le menu du restaurant international
– sushi – chich taouk – steak – souvlaki
– spaghetti – taco – gâteau – marmelade

2 Cherchez l'origine de ces mots.
mot allemand – anglais – arabe – grec – italien –
japonais – mexicain – portugais

3 Cherchez en groupes les mots français que vous
connaissez déjà.

Les échos d'Écho sur
cle-inter.com/echo

test

Est-ce que vous connaissez... Le Canada et les provinces canadiennes ?

2 Quelles provinces ont une frontière avec le Québec ?

☐ L'Ontario   ☐ L'Alberta
☐ Le Nouveau-Brunswick
☐ Le Manitoba
☐ La Nouvelle-Écosse
☐ La Colombie-Britannique

.../3

3 Complétez avec 2, 4 ou 5.
a) À Toronto, il y a .... millions d'habitants.
b) À Montréal, il y a .... millions d'habitants.
c) À Vancouver, il y a .... millions d'habitants.

.../3

1 Quelle est la capitale
a) du Canada ?
b) du Québec ?
☐ Ottawa   ☐ Toronto
☐ Montréal   ☐ Québec

.../2

Les pays

4 Où est...
a) Le drapeau québécois ?...
b) Le drapeau ontarien ?...

.../2

5 Quel est le nom du chant national canadien ?

☐ Ô Canada
☐ La Marseillaise
☐ La bannière étoilée

.../1

Les gens

6 Les femmes célèbres
Qui est-ce ?
a) Céline Dion
b) Pauline Marois
c) Karine Vanasse
☐ une chanteuse   ☐ une actrice
☐ une sportive   ☐ une femme politique

.../3

7 Les hommes célèbres
Qui est-ce ?
a) Sidney Crosby
b) Pierre-Elliot Trudeau
c) Rémy Girard
☐ un acteur   ☐ un écrivain
☐ un sportif   ☐ un homme politique

.../3

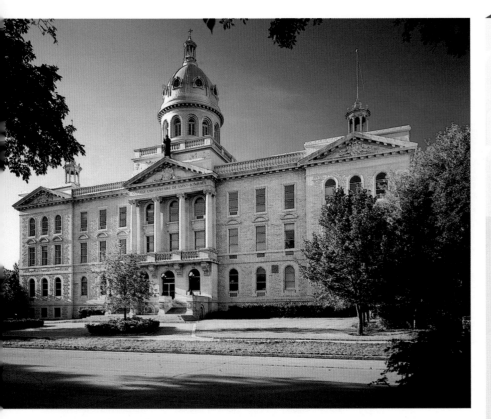

Faites le test
1• Faites le test avec l'aide du professeur
2• Comptez vos points : .../25
3• Notez les mots utilisés
   pour poser des questions.

Imaginez un test
En petits groupes, écrivez dix questions. Posez ces questions aux autres groupes.

Poser des questions
• **Est-ce que...**
  Lima est la capitale du Pérou ?
  Est-ce que Lima est la capitale du Pérou ?
  Est-ce qu'il y a un musée à Saint-Jean ?
• **Quel — quelle — quels — quelles**
  Quel est le nom du professeur ?
  Quelle est la capitale de l'Australie ?
  Quels sont les bons restaurants de Granby ?
  Vous parlez quelles langues ?
• **Qui**
  Qui est-ce ? — C'est Lucas Marti.
• **Que**
  Qu'est ce que c'est ? — C'est un musée.
• **Où**
  Où est le Kilimandjaro ?

 Les choses

8 Qu'est-ce que c'est ?
☐ une université
☐ un musée
.../1

9 Qu'est-ce que c'est ?
a) la Gaspésie
☐ un bon vin   ☐ une belle région
b) *La Presse*
☐ un grand journal   ☐ un café célèbre
c) la Blanche de Chambly
☐ un grande chanteuse   ☐ une bonne bière
.../3

Parlez de vos goûts
Interrogez votre voisin(e) sur ses goûts.
• Les pays (les pays étrangers, les provinces, les régions)
• Les gens (les acteurs et les actrices, les sportifs, les chanteurs et les chanteuses, etc.)
• Les choses (les voitures, les journaux, les cafés, les restaurants, etc.)

10 Reliez
Blackberry •   • des avions
Lise Watier •   • des cafés
Bombardier •   • des cellulaires
Tim Hortons •   • des parfums
.../4

Total :

Parlez de ses goûts
• Vous aimez Halifax ?
  (Est-ce que vous aimez Halifax ?)
— Oui j'aime Halifax.
— Non, je n'aime pas Halifax.

• Quelles villes tu aimes ?
  Quels restaurants ?
  Quels acteurs ?

Nommer - Préciser

Qu'est-ce que c'est ? **Une** voiture ? **Un** avion ?

C'est **la** voiture **de** l'artiste

Voici **un** tableau **de la** basilique Notre-Dame de Montréal.

La salle **des** peintres italiens, s'il vous plaît ?

Qui est-ce ?

C'est Dora Mar. **Une** amie **de** Picasso.

J'aime **les** tableaux **de** Picasso.

Excusez-moi. Où est **la** cafétéria **du** musée ?

1 Observez l'emploi des petits mots en gras.
• On identifie une chose ou une personne :
  une voiture...
• On parle d'une chose ou d'une personne précise :
  la voiture...

2 Complétez avec *de - du - de la - de l' - des*.
le cinéma ... rue Saint-Denis
un professeur ... Université de Montréal
le nom ... étudiant
un tableau ... Jean-Paul Riopelle
la maison ... étudiants

3 Complétez avec *un - une - des - le - la - l' - les*.
– Edmunston est ... belle ville avec ... beau musée
et ... grande université.
C'est ... ville de Roch Voisine, ... célèbre chanteur acadien.
– J'ai ... amis à Edmunston. Je connais ... professeurs
de français de ... université et ... directeur de l'hôtel Hilton.

Les articles

• **Pour identifier → l'article indéfini**
Qu'est-ce que c'est ? – C'est un tableau de Picasso.

masculin singulier	féminin singulier	masculin ou féminin pluriel
un un livre	**une** une voiture	**des** des livres des voitures

• **Pour préciser → l'article défini**
C'est **le** célèbre tableau *Les Demoiselles d'Avignon*.

masculin singulier	féminin singulier	masculin ou féminin pluriel
le - l' le livre l'hôtel	**la - l'** la voiture l'université	**les** les livres les hôtels

• **Pour donner un complément d'information**

de [+ nom propre]	une rue de Moncton
du [de + le = du]	les tableaux du musée
de la	le nom de la chanteuse
de l' [devant voyelle ou h]	l'adresse de l'hôtel
des [de + les = des]	le nom des étudiants

Accorder les noms et les adjectifs

1 🔊 Dans les exemples du tableau, observez et écoutez les différences entre :

– le masculin et le féminin ⎱ à l'écrit
– le singulier et le pluriel ⎰ et à l'oral
Exemple : un ami – une amie

Les noms et les adjectifs

• **Masculin et féminin des noms de personnes**

un ami	une amie
un secrétaire	une secrétaire
un professeur	un professeur (une professeure)
un Montréalais	une Montréalaise
un Canadien	une Canadienne
un chanteur	une chanteuse
un directeur	une directrice

2 Complétez avec le masculin et le féminin.

une Ontarienne – un …
un étudiant – une …
un acteur – une …
une artiste – un …

3 Accordez le groupe du nom.

Il aime les (bon) (restaurant)
(grand) (voiture)
(femmes) (beau et célèbre)
(hôtel) (international)

• Masculin et féminin des adjectifs

un grand parc – une grande ville
un stage international – la cité internationale
un chanteur célèbre – une chanteuse célèbre
un beau tableau – une belle actrice

• Pluriel des noms et des adjectifs

un homme célèbre – des hommes célèbres
un artiste international – des artistes internationaux
→ *Quand l'adjectif pluriel est devant le nom :*
un beau tableau – **de** beaux tableaux
un bon journal – **de** bons journaux

Conjuguez les verbes

1 Pour apprendre les conjugaisons, imaginez des petits dialogues avec votre voisin(e) ou dans votre tête.

• Tu aimes le cinéma ?
– Oui, j'aime le cinéma.
• Et elle ?
– Elle aime les films français.
• Vous aimez les films français ?
– Nous aimons les films américains.
• Ils aiment les films américains !

2 Voici des débuts de dialogues. Imaginez la suite et jouez-la.

• Tu connais des pays étrangers ?
• Tu apprends une langue étrangère ?
• Tu as un livre de français ?
• Tu aimes les chansons françaises ?

Les verbes

• Les verbes en -er

regarder : je regarde, tu regardes … nous regardons
écouter : j'écoute, tu écoutes … nous écoutons
aimer : j'aime, tu aimes … nous aimons

• Les autres verbes

avoir :
j'ai une grande voiture   nous avons…
tu as…   vous avez…
il/elle/on a…   ils/elles ont…
lire :
je lis, tu lis, il/elle/on lit, nous lisons, vous lisez,
ils/elles lisent
écrire :
j'écris, tu écris, il/elle/on écrit, nous écrivons,
vous écrivez, ils/elles écrivent

→ **On** = nous = ils/elles
En classe, on parle français.
En Espagne, on aime chanter.

À l'écoute de la grammaire

1 Différenciez « un » [œ̃] et « une » [yn].

Qu'est-ce qu'un pays ?

Un drapeau, un chant national,
Une capitale, un musée,
Une chanteuse célèbre, une équipe de football,
Un artiste international, un grand homme politique,
Et puis aussi des gens, ensemble, avec une histoire.

2 Féminin ou masculin ? Écoutez et cochez la bonne case.

	mot masculin	mot féminin
1	…	…
2	…	…

3 Singulier ou pluriel ? Écoutez et cochez la bonne case.

	On parle d'une personne ou d'une chose	On parle de plusieurs personnes ou plusieurs choses
1	…	…

De l'autre côté de l'Atlantique

2 – Répétitions

1 Le 4 juillet. Les stagiaires travaillent avec le professeur de danse.

Le professeur : On arrête ! Ça ne va pas !
Tous : Qui ?
Le professeur : Les garçons. Vous n'avez pas le rythme.

 Transcription

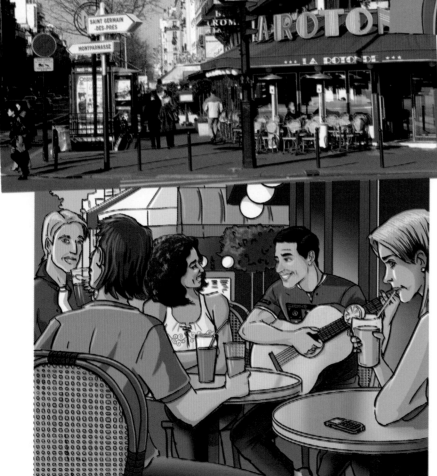

2 Au café, après le travail.

Lucas : *(il chante)*
« À Paris comme à Bombay
Je ne suis pas un étranger
J'habite où on m'aime
En Chine, en Bohème... »
(à Mélissa) Tu aimes ?
Mélissa : J'aime beaucoup. Qu'est-ce que c'est ?
Lucas : Une chanson de Lucas Marti.
Mélissa : Mais, Lucas Marti, c'est toi ! Tu écris des chansons ?
Lucas : Juste la musique.
Mélissa : Tu es musicien professionnel ?
Lucas : Non, je travaille dans une pizzeria... Et toi ?
Mélissa : Oh, moi, je suis professeur dans une école de danse... mais j'écris des textes de chansons.
Lucas : Je voudrais bien lire tes textes.
Mélissa : Et moi, je voudrais bien écouter tes musiques.

3 Le 6 juillet, à la pause.

Lucas : Des nouvelles du Québec ?
Noémie : Oui.
Lucas : Tu habites quelle ville au Québec ?
Noémie : Laval. Tiens, regarde ! J'ai des photos !
Lucas : Lui, qui est-ce ?
Noémie : Maxime, un copain.
Lucas : Juste un copain ?
Noémie : Tu es bien curieux, toi !

4 Le 8 juillet, à Paris-Plage.

Florent : Je voudrais un coca, s'il vous plaît.
....
Noémie : Bonjour, Florent !
Florent : Oh ! Noémie ! Bonjour.
Noémie : Tu es seul ? Mélissa n'est pas avec toi ?

Compréhension et simulations

1 **SCÈNE 1.** Écrivez la fin du dialogue. Notez les ordres du professeur.
On arrête !...

2 **SCÈNE 2.** Écoutez et complétez.
Lucas travaille ... Après le travail, il aime ...
Mélissa travaille ... Après le travail, elle aime ...

3 Imaginez la suite du dialogue 2.

4 **SCÈNE 3.** Écoutez et répondez.
• Où habite Noémie ?
• Que regardent Noémie et Lucas ?
• Qui est Maxime ?

5 Jouez une scène.
• Vous êtes dans la rue avec votre ami(e).
Il/Elle dit bonjour à un garçon ou à une fille que vous ne connaissez pas.
• Votre ami(e) lit un message et regarde des photos sur son téléphone portable.
Vous êtes curieux (curieuse).

6 **SCÈNE 4.** Écoutez et imaginez la suite.

Pour demander

• Je voudrais un livre sur Monet.
Je voudrais habiter au Canada.
• Est-ce que vous avez des livres d'art ?
• Est-ce qu'il y a une cafétéria dans le musée ?

Sons, rythmes, intonations

1 Prononcez avec le rythme.
Départ
• _ Lucas ... Florent ... Noémie ... Et vous ...
•• _ Écoutez ... Qu'est-ce que c'est ? ...
Une voiture ? ... Un taxi ?
••• _ C'est un taxi ... un taxi bleu ...
pour mon ami
•••• _ S'il vous plaît, monsieur ... place de l'Opéra ...
À bientôt, Lucas !

2 Distinguez « je », « j'ai » et « j'aime ».
Cochez la bonne case.
Exemple : 1. J'aime le cinéma. → j'aime

	je	j'ai	j'aime
1	...	...	X
2	...	...	...

Télévision
Céline Galipeau
une présentatrice passionnée

Céline Galipeau
et **Patrice Roy**,
les deux journalistes
de la télévision préférés
des Canadiens.

Elle présente tous les soirs le téléjournal sur Radio-Canada. Elle s'appelle Céline Galipeau et c'est une grande professionnelle. Née en 1957 à Longueuil, au Québec, elle étudie à l'Université McGill et à l'UQAM à Montréal. La mère de Céline Galipeau est une infirmière vietnamienne et le père est un journaliste québécois et un diplomate. Elle est correspondante de guerre en Tchétchénie et au Kosovo dans les années 90. Elle fait aussi des reportages sur la condition féminine et elle gagne le prix *Amnistie internationale* en 1995. Mais Céline a aussi d'autres passions : elle adore les voyages, les livres et la cuisine.

Lecture de l'article

1 Lisez l'article. Complétez les informations suivantes.

Nom : ... Prénom : ...
Date de naissance : ...
Lieu de naissance ...
Profession : ...
Études : ...
Expériences professionnelles : ...
Activités non professionnelles : ...

2 🌐 Écoutez. On parle de Céline Galipeau. Répondez oui ou non. Corrigez.

a. Céline Galipeau travaille à la télévision ?
b. ....
c. ....
d. ....
e. ....
f. ....

Écriture

Vous cherchez des amis canadiens. Vous écrivez un message pour le site « Contact Canada ».
« Bonjour. Je m'appelle... »

Société de l'assurance automobile du Québec

ÉCOLE DE JOURNALISME

BON Jean-François
BOUCHER Marie-José
COUTURIER Tristan
DUPARC-RIGAUD Camille
GONZALVES Pierre
KADDOURI Habiba
KOZLOWSKI Bruno
LA PLACE Sheila
MARINI Luigi
PETIT Marie
N'GUYEN Kim

IMMIGRANTS AU CANADA

Il y a au Canada 6 750 000 personnes nées à l'étranger. Tous les ans, 200 000 à 300 000 immigrants arrivent au Canada. En 2012, il y a 258 000 nouveaux immigrants : Chinois (33 000), Philippins (32 800), Indiens (29 000), Pakistanais (9 900), immigrés des États-Unis d'Amérique (10 000), Haïtiens (5 600), Européens (France, Royaume-Uni, Ukraine, Russie), du Maghreb (Maroc, Algérie, Tunisie).

Il y a au Canada 34 millions d'habitants et deux langues officielles : 19 millions de Canadiens parlent anglais (anglophones), 9 millions de Canadiens parlent français (francophones) et 6 millions de Canadiens parlent une autre langue (allophones).

LES PRÉNOMS PRÉFÉRÉS DES QUÉBÉCOIS

ENFANTS NÉS EN 2012

Filles	Garçons
Léa	William
Emma	Olivier
Florence	Nathan
Olivia	Thomas
Rosalie	Alexis

Connaître les Canadiens

À faire en petits groupes.

❶ Lisez la liste des étudiants de l'école de journalisme.
Quels noms ont pour origine :
a. un nom de lieu
b. un métier
c. un caractère
d. un nom étranger

❷ Observez les prénoms préférés des Québécois.
Est-ce que vous pouvez les traduire dans votre langue ?

❸ Lisez les autres informations.
Notez les différences avec votre pays.
Dans mon pays, il y a des immigrants ...
il n'y a pas d'immigrants ...

Les échos d'Écho sur cle-inter.com/echo

VILLE DE JOLIETTE
Forum des Associations

11 et 12 septembre
- Au centre culturel de Joliette
- De 10 h à 19 h
- Entrée libre

NOUVEAUX RÉSIDENTS
Venez rencontrer de nouveaux amis

L'association
J'AIME MA VILLE

Propose des soirées fêtes
des journées sportives
des journées visite de la région

Ne restez pas seuls !
Accueil des nouveaux résidents
le 3 octobre à 18 heures

> Vous voulez rester en forme...

> Vous devez être en forme !

En forme : Le Club
Faites du sport toute l'année !

- Gymnastique
- Stretching
- Yoga
- Danse africaine
- Danses modernes

Dans le parc
- Tennis
- Volley-ball
- Piscine

Les week-ends
- Randonnée
- Vélo de montagne
- Ski

VENEZ AU CLUB « EN FORME »
522, rue Champlain Ouest

LE CYBER CAFÉ

210, rue Beaubien Ouest

L'Internet pour tous

→ **Clavardage – Forums – Réseaux sociaux**
→ **Tous les jeux en réseau**
action – aventure – simulation – sport

Atelier
HIP HOP et RAP

À l'Espace Danse

Danse • Écriture de textes • Chant

PARC AVENTURE ACROBRANCHES
Partez à l'aventure !

MONT RIGAUD
SKI • ACROBRANCHE • VÉLO

321, rue des Érables, Rigaud, QC, J0P 1P0

Au forum des associations

1• En groupes, observez la publicité des associations. Choisissez une association et présentez-la.
« Au club *En forme*, on fait de la gymnastique… »

2• Dites ce que vous faites…
– après le travail
– les fins de semaine (week-ends)
– en vacances

Parler des loisirs

• **Les sports**
le football – le volley-ball – le soccer – le basket-ball – le tennis – le ski – la randonnée – le vélo (le vélo de montagne)

• **Les spectacles**
le cinéma – le théâtre – les concerts de musique rock, électronique, classique… – la danse

• **À la maison**
la télévision – la radio – les jeux vidéo – Internet – l'ordinateur

• **Les activités**
Je fais du sport (du tennis – de la randonnée)
Je fais de la peinture
Je joue au hockey – Je joue au soccer
Je patine – Je joue à des jeux vidéo
Je vais au cinéma – Je vais à la piscine
Je vais à la patinoire
Je vais voir des expositions
Je lis – Je regarde la télévision

Les loisirs de deux étudiants

Écoutez. Ils parlent de leurs loisirs. Notez leurs activités.

Emma (20 ans)	Thomas (23 ans)

Créez votre club de loisirs

Travaillez en petits groupes.

1• Imaginez un club de loisirs pour votre classe ou pour votre ville. Proposez des activités.

2• Réalisez une affiche pour votre club.

3• Présentez le club à la classe.

Parler de ses activités

Tu fais du tennis ?

J'adore le tennis.

En décembre, je vais aux Bahamas.

C'est en République dominicaine ?

Demain, je vais à la plage. Tu viens ?

Non. Je vais au village.

Moi, je vais à Cancun.

Non, c'est au Mexique.

Ici, c'est super ! On peut faire du vélo et de la randonnée.

Tu aimes le vélo et la randonnée ?

Elle est chez Tony.

Où est Marie ?

1 Observez les constructions des verbes.
- aimer (adorer) : j'adore le tennis…
- faire : je fais du tennis…
- aller : …

2 Complétez avec les verbes « aller » et « venir ».
- Dimanche, je …… faire du ski. Tu …… avec moi ?
– Tu vas dans les Rocheuses ?
- Non, je …… dans les Laurentides.
– D'accord, je …… . Et Marie, elle peut …… ?

3 Complétez avec le - la - du - de la - à…
- Après les cours, je vais faire … natation. Tu viens ?
– Et les autres, qu'est-ce qu'ils font ?
- Céline et Hugo vont …… des amis. Robin va …… théâtre avec Antonia.
– Antonia ?
- C'est une amie étrangère. Elle habite …… Bogota, …… Colombie. Elle adore …… théâtre. Elle est …… Canada pour les vacances. Alors, tu viens …… piscine avec moi ?
– Non, je vais faire …… tennis.

Pour parler des activités

• Faire

je fais du vélo	nous faisons…
tu fais de la natation	vous faites…
il/elle fait…	ils/elles font…

Attention ! Négation avec « du » et « de la » :
Je ne fais pas de vélo. Je ne fais pas de natation.

• Venir

je viens	nous venons
tu viens	vous venez
il/elle vient	ils/elles viennent

• Aller

je vais	**à** Ottawa (à + ville)
tu vas	**au** cinéma (au = à + le)
il/elle va	**à la** piscine
nous allons	**aux** toilettes (aux = à + les)
vous allez	**chez** Pierre (chez = nom de personne)
ils/elles vont	**au** Canada (au + pays masculin)
	en France (en + pays féminin)
	aux États-Unis (aux + pays pluriel)

Les pronoms « moi », « toi », « lui », « elle »…

1 Observez l'utilisation des pronoms et complétez.
- Mélissa fait du sport avec Pierre et Antoine ?
– Oui, elle fait du tennis avec …
- Mélissa habite chez Marie ?
– Oui, elle habite chez …
- Elle travaille pour M. Bélanger ?
– Oui, elle travaille pour …
- Elle vient en vacances avec nous ?
– Oui, elle vient avec …

Avec qui tu vas ? Avec moi, avec lui, avec elle ou avec eux ?

Viens avec nous !

Les pronoms après une préposition

Marie vient chez moi, avec toi, sans eux.

| je → moi | il → lui | nous → nous | ils → eux |
| tu → toi | elle → elle | vous → vous | elles → elles |

Faire un projet

Demain, on va faire une randonnée. Et toi, qu'est-ce que tu vas faire ?

Je suis fatiguée. Je vais rester ici. Je vais lire un roman.

1 Observez les constructions ci-dessus. Complétez.

• Aujourd'hui, je fais du tennis.
Demain, je … une randonnée.
• Aujourd'hui, nous regardons un film à la télévision.
Demain, nous …

2 Mélissa, Noémie, Florent et Lucas font des projets de fin de semaine. Imaginez ce qu'ils disent. Utilisez :

aller - venir - faire - écouter - regarder - lire - écrire - travailler - rester - apprendre - jouer.

Pour parler du futur

aller + verbe à l'infinitif
Demain, je vais faire une randonnée.
Demain, je ne vais pas travailler.

On va = nous allons.

Pour exprimer la possibilité, l'obligation

Tu veux jouer avec nous ?

Tu dois apprendre.

Je ne peux pas. Je ne sais pas jouer.

1 En petits groupes, continuez ces débuts de phrases. Cherchez des phrases utiles en classe.
Exemple : Je ne sais pas écrire « randonnée ».

• *Le professeur* → Vous devez… Vous savez…
• *L'étudiant* → Je ne sais pas… Je ne peux pas…
Est-ce que je peux… ?
Est-ce que je dois… ?

2 Complétez avec les verbes du tableau.
• **Propositions de week-end**
Léa : Tu … faire du ski ?
Marco : Je voudrais bien mais je ne … pas skier.
Léa : Et toi, Flore, tu viens ?
Mélissa : Désolée. Je ne … pas. Je … travailler tout le week-end.
• **Un enfant à sa mère**
L'enfant : Maman, est-ce que je … regarder la télévision ?
La mère : Non, tu … faire le travail de l'école.

vouloir	pouvoir	savoir	devoir
je veux un café	je peux	je sais	je dois
tu veux partir	tu peux	tu sais	tu dois
il/elle veut	il/elle peut	il/elle sait	il/elle doit
nous voulons	nous pouvons	nous savons	nous devons
vous voulez	vous pouvez	vous savez	vous devez
il/elles veulent	ils/elles peuvent	ils/elles savent	ils/elles doivent

À l'écoute de la grammaire

1 Distinguez « je vais » [v] et « je fais » [f]. Écoutez et répétez.

Je vais en Finlande
Je vais en Hollande
Moi, je reste en France

Et je fais du ski
Et je fais du vélo
Je vais faire de la danse.

2 Rythme des groupes « verbe + verbe ».
Pas d'accord

Il veut aller au cinéma… Je veux aller à l'opéra.
Il va partir en Italie… Je vais partir à Tahiti.
Il doit travailler le jour… Je dois travailler la nuit.
Il ne sait pas du tout danser… Je peux danser toute la nuit.

3 On se détend ?

De l'autre côté de l'Atlantique

1 Le 12 juillet, à la Cité universitaire. ///////////

Noémie (avec Mélissa) : Lucas, c'est nous !
Lucas : Entrez.
Mélissa : On va faire un jogging. Tu viens avec nous ?
Lucas : Je ne peux pas. Je travaille.
Mélissa : Qu'est-ce que tu fais ?
Lucas : J'apprends le rôle de Quasimodo.
Mélissa : Toi aussi !
Noémie : Ils veulent tous le rôle de Quasimodo !

La coulée verte dans le quartier Bastille.

2 Le 13 juillet. ///////////////////////////

Mélissa : Demain, il n'y a pas de cours. Qu'est-ce qu'on fait ?

 Transcription

3 Le 14 juillet, dans la discothèque « La Locomotive ». ///////////

Noémie : Eh bien, Florent, tu ne danses pas ?
Florent : Je n'ai pas envie.
Noémie : Toi, Florent, tu as « de la misère » !
Florent : Qu'est-ce que tu dis ?
Noémie : C'est une expression du Québec. Ça veut dire : « Tu as un problème ».
Florent : Je n'ai pas de problème, Noémie. Mais je suis fatigué et j'ai envie de partir.
Noémie : Je peux venir avec toi ?
Florent : Bien sûr !

**Le 16 juillet,
au théâtre du Châtelet.** //////////////////////////////////

Lucas : Alors, Sarah. Qui va avoir le rôle de Quasimodo ?
Sarah : Je suis désolée, Lucas…
Lucas : Vous préférez Florent ?
Sarah : Oui.
Lucas : Dommage … (*il chante*) « Je me voyais déjà
en haut de l'affiche… »

châtelet
THÉÂTRE MUSICAL DE PARIS

Notre-Dame de Paris
Spectacle musical **le 25 juillet à 21 h**
par les chanteurs, les danseurs et les musiciens
de l'ensemble Musique et Danse

Au XIVᵉ siècle, dans le quartier de la cathédrale Notre-Dame de Paris,
trois hommes aiment la belle Esméralda : le jaloux Frollo, le beau
capitaine Phœbus et Quasimodo, un jeune homme pauvre et laid.

Compréhension et simulations

1 SCÈNE 1. Écoutez. Complétez ces phrases.
Mélissa et Noémie vont … Elles invitent …
Lucas reste … Il doit … Il veut …

2 SCÈNE 2. Écoutez et écrivez le dialogue.

3 Jouez la scène (à trois ou quatre).
C'est vendredi soir. Vous êtes seul(e). Vous n'avez pas
envie de rester chez vous. Vous avez envie de sortir…
Vous téléphonez à vos amis.

Proposer - accepter - refuser
• **Vous voulez aller au cinéma ?**
  Tu veux… Tu as envie de…
  J'ai envie de regarder un film. Et toi ?
• **D'accord**
  Oui, je peux venir… J'ai envie d'aller au cinéma…
• **Excusez-moi. Je ne peux pas venir.**
  Je dois travailler.

4 SCÈNE 3. Écoutez et racontez la scène.
Imaginez la suite de la scène.

5 SCÈNE 4. Imaginez d'autres versions de la scène…
– avec un Lucas jaloux de Florent
– avec un Lucas triste, etc.

Demander une explication
• Vous pouvez répéter ? Je ne comprends pas. Qu'est-ce
  que vous dites ?
• Qu'est-ce que ça veut dire ?
  « Ami », ça veut dire *friend* en anglais. Vous pouvez
  traduire ?

Sons, rythmes, intonations
1 Le rythme – Comptez les groupes.
Elle s'appelle Amélie.   6
Il s'appelle Jérémy.   3 + 3
Elle travaille à Paris.
Et lui à Chantilly.
…

2 Le rythme de la phrase négative.
Répondez. Répétez la réponse.
• Lucas va au cinéma ?
– Non, il ne va pas au cinéma.
…

INVITATIONS

De : Jérémy Bergeron
À : Sylvain Paquette
date : 10 juin
objet : Re-Proposition

Bonjour Sylvain
Merci beaucoup pour ton invitation au festival des Francofolies de Montréal. Le programme est excellent et j'adore Cœur de pirate et Stromae. Je voudrais bien venir mais je ne peux pas. C'est dommage. Le week-end du 21 juin, je dois être à Gatineau. Une amie fait une grande fête. Elle est charmante et il y a tous les amis de l'université ! Alors tu comprends…
Bons concerts.

        Jérémy

Portage-du-Cap, le 17 août

Chers amis
Il fait beau. La mer est bonne et les Îles-de-la-Madeleine sont magnifiques. Maxime fait du golf. Moi, du vélo. On rencontre des gens sympathiques. Voulez-vous venir le week-end du 24 ? On a envie de découvrir deux ou trois restos avec vous.

        Amitiés
        Lisa et Maxime

Pascale Cloutier et Daniel Bégin
410, rue Papineau
Saguenay, Québec G7H 3T5

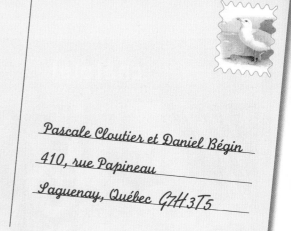

Lecture des textes

1 Pour chaque texte précisez :
a. Est-ce une lettre, une carte postale ou un courriel ?
b. Qui écrit ?
c. À qui ?
d. Quel est le message ?
e. De quel lieu parle-t-on ? Qu'est-ce qu'on apprend sur ce lieu ?

2 Imaginez :
– le message d'invitation de Sylvain
– la réponse de Pascale Cloutier et Daniel Bégin

Écriture. L'invité surprise

• Chaque étudiant tire au sort le nom d'un autre étudiant.
• Il lui écrit une invitation (pour une soirée, une fin de semaine, etc.).
• Chaque étudiant reçoit une invitation et répond.

Juillet au Québec

Vous aimez la montagne ? Allez randonner dans les Laurentides, les gorges de la Malbaie ou les Monts Chic-Chocs.

Le Québec est une province très riche. Curieux d'histoire ? Visitez le quartier du Petit-Champlain et la Place Royale à Québec.

Vous préférez la nature ? Visitez un des 27 parcs nationaux du Québec, observez les baleines, détendez-vous sur les plages de Gaspésie ou des Îles-de-la-Madeleine.

Envie d'un spectacle ?

Juillet est la saison des fêtes et des festivals : jazz à Montréal, rock et hip-hop au festival d'été de Québec, humour à Val-d'Or en Abitibi-Témiscamingue, musique classique à Joliette en Lanaudière.

Les gorges de la Malbaie

La Place Royale

Regard sur la carte du Québec

1 Lisez « Juillet au Québec ». Situez les lieux sur la carte.

2 Observez les villes et les régions.

3 Mettez en commun vos connaissances sur le Québec. Quelles régions, quelles villes connaissez-vous ? Que peut-on voir ? Quelles activités peut-on faire ?

4 Observez la carte du Canada touristique p. 144. Quelles autres villes et provinces canadiennes connaissez-vous ? Que peut-on voir ? Quelles activités peut-on faire ?

Écriture. Présentation de votre pays

Seul ou en petits groupes, rédigez une présentation de votre province ou de votre pays.

Inspirez-vous du texte « Juillet au Québec ».

Document 1 — Les échos d'Écho sur cle-inter.com/echo

L'ART DU VRAI-SEMBLANT

Venez découvrir les célébrités d'hier et d'aujourd'hui, les grandes heures du xxᵉ siècle et l'actualité. Au musée Grévin de Montréal, 120 personnages de cire ont rendez-vous avec vous pour des rencontres, des photos, des souvenirs.

Ouvert tous les jours :
- du lundi au samedi de 10 h à 18 h
- le dimanche de 11 h à 17 h

705, Rue Sainte-Catherine Ouest
Montréal, Québec, H3B 4G5

JEU
Qui est Qui ?

1 Je suis française. J'ai été une grande dame de la mode. En 1921, j'ai créé le parfum numéro 5.

2 Je suis né en Allemagne et j'ai gagné le prix Nobel en 1921.

3 Je suis né au Manitoba. En 1980, j'ai traversé cinq provinces. J'ai couru 5 373 km.

4 Je suis né à Outremont, au Québec. J'ai été premier ministre du Canada de 1968 à 1979 et de 1980 à 1984.

5 Je suis un acteur américain. J'ai joué dans les films *Troie* en 2004 et *Sept ans au Tibet* en 1997.

6 Je suis né à Saint-Malo, en France. J'ai voyagé au Canada en 1534.

7 J'ai habité sur l'astéroïde B612. J'ai aimé une rose. Je suis allé dans le désert.

8 Je suis né aux États-Unis. J'ai créé la société Apple et j'ai inventé l'*iPhone* et l'ordinateur *Macintosh*.

ILS SONT ENTRÉS AU MUSÉE GRÉVIN
VOUS LES CONNAISSEZ ?

Terry Fox

Jacques Cartier

Pierre-Elliot Trudeau

Albert Einstein

Coco Chanel

Brad Pitt

Le Petit Prince

Steve Jobs

Lecture du document « Musée Grévin »

1• **Que peut-on voir, que peut-on faire au musée Grévin ?**

2• **Relevez et classez les mots en relation avec le temps. Complétez les séries.**
Hier → aujourd'hui → ...
Une heure → ...
Lundi → ...

Jeu « Qui est qui ? »

1• **Associez les huit phrases et les huit photos.**

2• **Parle-t-on du présent ? Du passé ? Du futur ?**

3• **Observez la construction du temps des verbes.**

4• **Présentez chaque personnage.**
Exemple : 1. Il est né au Manitoba. En 1980, il a traversé...

Imaginez votre musée Grévin

Travail en petits groupes.

1• **Choisissez dix hommes et femmes importants pour vous. Dites ce qu'ils ont fait.**
Exemple : John F. Kennedy. Il a été président des États-Unis.

2• **Chaque groupe présente sa liste.**

Entrez au musée Grévin

Imaginez pour vous une biographie originale.

« Je suis né(e) au XXᵉ siècle. J'ai bien connu Coco Chanel. Je suis allé(e) à Paris... »

Qu'est-ce que vous avez fait samedi et dimanche ?

Nous avons fait un voyage à Montréal. Nous sommes partis à 6 h et nous sommes arrivés à 9 h. Nous avons visité le musée Grévin. J'ai vu Jacques Cartier et Céline Dion. Luc a aimé Angelina Jolie.

Fin de semaine à Montréal
Programme

Samedi 6 mars
6 h : départ de Québec
9 h : arrivée à Montréal
10 h : visite du musée Grévin
12 h 30 : dîner

1 **Observez les exemples ci-dessus et ceux des pages 30 et 31.**

a. Parle-t-on…
– du présent ? – du passé ? – du futur ?

b. Observez la forme des verbes. Retrouvez la conjugaison.

Cas n° 1
Présent de ...... + participe passé
Cas n° 2
Présent de ...... + participe passé

c. Faites la liste des verbes et de leur participe passé. Classez-les.
• verbes en -*er* : arriver → arrivé …
• verbes en -*oir* : voir → vu …

2 **Observez l'accord du participe passé.**

Clara est *venue* chez moi.
Elle a *écouté* de la musique.
Anna et Eva sont *allées* au cinéma.
Pierre et Dylan sont *allés* au théâtre.
Luc est *resté* chez lui.

3 **Mettez les verbes au passé composé.**

• Qu'est-ce que tu (*faire*) dimanche ?
–Je (*aller*) au cinéma avec Pierre. Nous (*voir*) un film très amusant. Puis nous (*faire*) une promenade au parc Mont-Royal. Après, je (*rentrer*) chez moi et j'(*travailler*).

4 **Dans le tableau ci-dessous, observez la construction négative du passé composé.**
Préparez des questions et des réponses très utiles en classe.

Le professeur : Vous avez compris ?
L'étudiant : Non, je n'ai pas compris.
Le professeur : Vous avez lu le texte ?
L'étudiant : Non, je n'ai pas lu le texte.
Le professeur : Vous avez appris la conjugaison ?
L'étudiant : Non, …
Le professeur : … ?
L'étudiant : Non, je n'ai pas travaillé.

Le passé composé

Le passé composé est utilisé pour parler d'un événement passé.

• **Formation**

Cas général
avoir + participe passé
j'ai parlé
tu as parlé
il/elle a parlé
nous avons parlé
vous avez parlé
ils/elles ont parlé

Cas des verbes :
aller – venir – arriver – partir – rester – etc.

être + participe passé
je suis parti(e)
tu es parti(e)
il/elle est parti(e)
nous sommes parti(e)s
vous êtes parti(e)(s)
ils/elles sont parti(e)s

• **Interrogation**
Elle est partie ?
Est-ce qu'elle est partie ?

• **Négation**
Elle n'est pas partie.
Je ne suis pas resté(e).

• **Accord du participe passé**
– Avec le verbe « être », le participe passé s'accorde comme un adjectif.
Elles sont parties
– Accord avec le verbe « avoir », voir p. 134.

Préciser la date et l'heure

1 Observez dans le tableau comment on dit la date. Formulez les informations suivantes comme dans l'exemple.

Exemple : a. Célia est née le 3 février 1970.

a. 03-02-1970. Naissance de Célia
b. 1990. Entrée à l'université
c. 1992-1994. Stage à Cambridge
d. juin 1995. Diplôme de professeur d'anglais
e. 25-08-1994. Rencontre avec William
f. septembre 1998. Départ pour l'Australie

2 Écoutez et notez leurs dates de naissance et de mort. À quel âge sont-ils morts ?

a. Napoléon : 1769-1821 (mort à 52 ans)
b. Jeanne Mance : ...
c. Marilyn Monroe : ...
d. Terry Fox : ...
e. Nelson Mandela : ...

3 Observez comment on dit l'heure.

a. Écrivez en chiffres :

trois heures dix
huit heures moins vingt-cinq

cinq heures et quart
neuf heures et demie

b. Quelle heure est-il ?

09:20   16:45   12:05
15:30   00:15   03:50

c. Écoutez et complétez ces informations du livre.

Cinéma Forum	
Film	**heures**
Le Jour d'après	...

1.

Docteur Paul Reeves

Vous avez rendez-vous
le ...
à ...

2.

**BIBLIOTHÈQUE
Gaston-Miron**

ouverte de ... à ...
du ... au ...

3.

La date et l'heure

• La date

Elle est née quand ? Quand est-ce qu'elle est née ?
Elle est née le 3 mai 1960 (en 1960, en mai, le 3).

les jours de la semaine
lundi, mardi, mercredi, jeudi, vendredi, samedi, dimanche

les mois de l'année
janvier, février, mars, avril, mai, juin, juillet, août, septembre, octobre, novembre, décembre

• Hier, aujourd'hui, demain

      la semaine dernière
      ↑
15 mai avant-hier
16 mai hier
17 mai aujourd'hui
18 mai demain
19 mai après-demain
      ↓
      la semaine prochaine

• de ... à

Il est resté aux États-Unis de 2004 à 2006.

• L'heure

Quelle heure est-il ? Il est quelle heure ?
8 h 00 huit heures (du matin)
8 h 10 huit heures dix (minutes)
8 h 15 huit heures et quart [huit heures quinze]*
8 h 30 huit heures et demie [huit heures trente]
12 h 00 midi
12 h 45 une heure moins le quart [douze heures quarante-cinq]
13 h 00 une heure (de l'après-midi) [treize heures]
18 h 50 sept heures moins dix (du soir) [dix-huit heures cinquante]
0 h 00 minuit

* [...] : heure officielle.

→ Être (arriver, etc.) en avance / à l'heure / en retard

À l'écoute de la grammaire

1 Distinguez le présent et le passé.

Présent	Passé
1. J'aime les films historiques.	2. Je suis allé(e) au cinéma.
...	...

2 Prononciation du passé composé. Répétez. Imaginez une suite à l'histoire.

Rupture

Elle est entrée ... J'ai regardé
Elle a parlé ... J'ai écouté
Nous avons dîné ... Nous avons adoré
Elle a expliqué ... Je n'ai pas compris
Elle est partie ... Je suis resté

Racontez-moi

De l'autre côté de l'Atlantique

4 – Fugues

 Le soir du 25 juillet, au théâtre du Châtelet.

Sarah : Mélissa, tu as vu Florent ?
Mélissa : Non.
Lucas : Moi non plus. Quelle heure est-il ?
Sarah : Huit heures.
Mélissa : Ah oui, c'est bizarre… Et Florent n'a pas de portable ! Noémie est arrivée ?
Noémie : Oui, je suis là !
Mélissa : Tu as vu Florent après la répétition de 10 heures ?
Noémie : Oui, à midi, on a déjeuné ensemble. Puis on est allé au jardin des Tuileries. Et, à quatre heures, je suis rentrée à la Cité.
Sarah : Et Florent, qu'est-ce qu'il a fait ?
Noémie : Je ne sais pas. Il n'est pas venu avec moi.
Lucas : Moi, Sarah, je suis là. Je peux jouer le rôle de Florent.

châtelet
THÉÂTRE MUSICAL DE PARIS

Musique et Danse
présente
Notre-Dame de Paris
Comédie musicale **le 25 juillet à 21 h**

 Un quart d'heure après.

Noémie : Ah, le voilà ! …

Transcription

Lucas
J'ai une
semaine de
vacances.
Je pars faire
du surf sur la
côte basque.
Tu viens ?
Eliz

 Après le spectacle, au Café des philosophes.

Sarah : Félicitations à tous !

Transcription

Lucas : Excusez-moi. J'ai un SMS.

Compréhension et simulations

 SCÈNE 1. Écoutez.

a. Quel est le problème ?

b. Racontez la journée de Noémie.

c. Imaginez la journée complète de Florent.

2 SCÈNES 2 ET 3. Écrivez la fin des scènes.

3 Jouez une des scènes suivantes.

a. Vous arrivez en retard au cours de français.

b. Vous avez rendez-vous au café avec un(e) ami(e) à 19 h. Vous arrivez à 19 h 30. Votre ami(e) est arrivé(e) à 18 h 30.

c. Vous faites un projet de soirée avec un(e) ami(e). Vous fixez l'heure du rendez-vous et le programme.

4 SCÈNE 4. Écoutez la scène.

Travail en petits groupes : chaque groupe choisit un personnage de l'histoire et imagine l'avenir de ce personnage.

---

4 À cinq heures du matin sur les Champs-Élysées. ////////

Lucas : (*il chante*) « Il est cinq heures, Paris s'éveille... »

Sarah : Mélissa, Florent ! Mardi, il y a le casting d'une nouvelle comédie musicale. Vous êtes intéressés ?

Mélissa : Ah, oui !

Sarah : Et vous, Florent, vous allez continuer le chant !

Florent : Je ne sais pas. J'aime chanter, j'aime jouer, mais j'aime aussi mon école de Fort-de-France, mes copains.

...

Un jeune homme : Noémie ! Noémie !

Noémie : Maxime ! Qu'est-ce que tu fais là ? Tu es arrivé quand en France ?

Moi aussi / moi non plus

• J'aime la musique.
– Moi aussi.
• Et Marie ? Et Pierre ?
– Elle aussi et lui aussi.

• Je n'aime pas le rap.
– Moi non plus.
• Et Marie ? Et Pierre ?
– Elle non plus et lui non plus.

Sons, rythmes, intonations

1 Le rythme et l'enchaînement

Horaires

._ / ._ huit heures – midi / deux heures – six heures

.._ / .._ huit heures trente / six heures trente

..._ / ..._ une heure et demie / quatre heures et demie

.._ / .._ de sept heures à quinze heures / de huit heures à seize heures

2 L'enchaînement avec [t] et [n]

Voyage

Un grand aéroport... un grand avion
Un petit hôtel... une petite île
En Indonésie... avec un ami... avec une amie
Un bon accueil... une excellente année

Les Champs-Élysées et l'Arc de triomphe.

RÉCITS DE VIE

Philippe Labro
L'étudiant étranger

Nancy Huston
Leïla Sebbar
Lettres parisiennes
Histoires d'exil

La Canadienne **Nancy Huston** et l'écrivain français **Philippe Labro** parlent des problèmes rencontrés quand on arrive dans un pays étranger.

LE JOURNAL DE MÉLINA

Dimanche 7 septembre, 19 h

Je suis à Trois-Rivières, au Québec. Je vais faire un stage de six mois au parc Micro Sciences et j'ai décidé d'écrire mon journal en français.
J'habite au 512, rue Raymond Lasnier, dans l'appartement d'un ami grec parti en vacances aux États-Unis. C'est dans le centre de la ville. On voit le Saint-Laurent. C'est super !

Lundi 8 septembre, 20 h

Première journée au parc Micro Sciences. Ils sont sympathiques. J'ai vu le directeur et Alicia, une fille dynamique. Je vais travailler avec elle. J'ai des problèmes en français. Je ne comprends pas tout et j'ai peur de parler.

Mardi 9 septembre, 19 h

Aujourd'hui, j'ai parlé à une voisine. Elle est de Hearst, en Ontario et elle adore la Grèce. Elle s'appelle Élodie.
Dans l'ascenseur, j'ai rencontré un gars pas mal mais bizarre. Il n'a pas dit un mot. Je vais demander qui c'est à Élodie.

Jeudi 11 septembre, 1 h du matin

Je me suis inscrite à une école de langues pour travailler mon français. J'ai eu mon premier cours.
Je suis rentrée à 10 heures, fatiguée. Je suis allée sur Internet et j'ai *chatté* jusqu'à minuit. J'adore parler avec Tom. Il connaît le monde entier.

Compréhension du journal de Mélina

1 Lisez le journal de Mélina.

2 Mélina rencontre un voisin. Il pose des questions. Répondez pour Mélina.
a. Vous habitez ici ?
b. Vous êtes canadienne ?
c. D'où vous venez ?
d. Qu'est-ce que vous faites à Trois-Rivières ?
e. Vous parlez bien français !

3 Quels sont les problèmes rencontrés par Mélina ?

Commencez votre journal en français

Notez dans ce journal :
• **ce que vous avez fait à l'école de français**
« Aujourd'hui, nous avons étudié le rythme de vie des Canadiens… »
• **les moments importants de votre vie professionnelle ou de vos loisirs**
« Aujourd'hui, je suis allé(e) au cinéma. J'ai vu… »
Quand vous avez écrit quelques pages, vous pouvez montrer ce journal à votre professeur ou à votre voisin(e).

RYTHMES DE VIE

Horaires d'ouverture
Du lundi au vendredi de 9 h à 19 h
Samedi de 11 h à 17 h

Boutique *Jennifer*
OUVERTE
Lundi - Mercredi : 10 h - 18 h
Jeudi - Vendredi : 10 h - 21 h
Samedi : 9 h - 17 h
Dimanche : 12 h - 17 h

SUPERMARCHÉ *Métropolitain*
Ouvert
du lundi au jeudi
de 9 h à 20 h
le vendredi et le samedi
de 9 h à 21 h

Vendredi 12	Samedi 13	Dimanche 14
8	8	8
9	9	9
10 ⎫ réunion	10	10
11 ⎬ production	11	11
12	12	12
13 — dîner avec	13	13
14 Élise	14	14
15	15	15
16	16	16
17	17	17
18	18	18
19	19	19
20 — souper avec Laura	20	20
21 chez Sarah et Benjamin	21	21

ANNÉE SCOLAIRE
2014 / 2015

- Rentrée : le 28 août
- Congé de la fête du Travail : le 1er septembre
- Congé de l'Action de grâce : le 13 octobre
- Vacances de Noël : du 22 décembre au 5 janvier
- Semaine de relâche : du 2 au 6 mars
- Congé de Pâques : Vendredi 3 et lundi 6 avril
- Congé de la Journée nationale des patriotes : Lundi 18 mai
- Fin de l'année scolaire : Lundi 23 juin

LA JOURNÉE DE TRAVAIL
Les employés travaillent 40 heures par semaine. Ils ont deux à quatre semaines de vacances par an. Dans les écoles au Canada, on travaille cinq jours par semaine, du lundi au vendredi, de 8 h 15 à 12 h 15 et de 13 h 15 à 15 h 30. Les enfants dînent à l'école.

Les rythmes de vie au Canada ///////////

Travaillez en petits groupes.
Observez et lisez les documents de cette page.
Notez les différences avec les rythmes de votre pays :
- la journée de travail ;
- la journée scolaire ;
- les vacances ;
- les heures d'ouverture des magasins et des bureaux.

Complétez l'agenda de Simon ///////////

1 Que fait Simon le vendredi 12 ?

2 🎧 Écoutez. Élise interroge Simon. Complétez l'agenda de Simon pour les journées du 13 et 14 mai.

▶ Document 2

Les échos d'Écho sur cle-inter.com/echo

Évaluez-vous

1 Vous êtes actif(ve) dans votre apprentissage.

Répondez « oui » ou « non ». Comptez les « oui » et notez-vous.
a. Vous dites au professeur « Je comprends » ou « Je ne comprends pas ». ......
b. Vous posez des questions au professeur : « Qu'est-ce que ça veut dire ?... Vous pouvez répéter ?... » ......
c. Vous dites « Bonjour » et « Au revoir » à la classe. ......
d. Vous dialoguez avec les autres étudiants : « Où est-ce que tu habites ?... Qu'est-ce que tu fais?... » ......
e. À la cafétéria, à la bibliothèque, vous faites vos demandes en français. ......
f. Vous aimez travailler avec les pages « Interactions » du livre. ......
g. Vous aimez les activités « Jouez la scène » des pages « Simulations ». ......
h. Vous travaillez avec les pages de la fin du livre. ......
i. Vous travaillez avec le cahier personnel d'apprentissage. ......
j. Vous avez essayé de lire un journal français, un magazine ou un livre, ou vous avez regardé un film en français. ......

…/10

2 Vous comprenez des informations au sujet d'une personne.

1. Nom
2. Prénom
3. Nationalité
4. Profession
5. Date de naissance (ou âge)
6. Lieu de naissance
7. Adresse
8. Téléphone
9. Courriel
10. Langues parlées

a. Écoutez. Faites correspondre chaque question avec un mot de la fiche.

question	exemple	a	b	c	d	e
fiche	4					

b. Écoutez. Faites correspondre l'information avec un mot de la fiche.

question	exemple	a	b	c	d	e
fiche	1					

Comptez vos points et notez-vous.

…/10

3 Vous utilisez les mots du savoir-vivre.

a.

« ... Où est ... ? »

b.

« Bonjour ... »

c.

« ... À neuf heures au club ! »

**Complétez ce qu'ils disent.
Dites-le à votre voisin(e)
ou à la classe. Notez-vous
après la correction du professeur.**

d.

« Bravo, ... »

e.

« Oh ! Je suis... »

…/10

4 Vous pouvez donner des informations sur vous.

Vous allez habiter au Québec chez madame Marcoux et monsieur Bouchard. Ils ne vous connaissent pas.
Écrivez-leur pour vous présenter.
Indiquez votre nom, votre âge, votre profession, votre nationalité, votre niveau en français, vos loisirs.
Lisez votre lettre à votre voisin(e) ou à la classe. Décidez ensemble d'une note.

.../10

5 Vous pouvez donner des informations sur vous.

Lisez les trois documents et complétez le tableau. Corrigez avec le professeur.
Notez-vous. Comptez un point par réponse juste (maximum 10).

	1	2	3
Le document parle de quel événement ?			
Où se passe l'événement ?			
Quel jour ? À quelle heure ?			
Quelle activité va-t-on faire ?			

.../10

 Le 24 juin
FÊTE NATIONALE DU QUÉBEC
Toute la ville fait la fête !
place des Arts – rue Saint-Denis –
boulevard Saint-Laurent

 Le club Nature de Boucherville
organise
UNE **RANDONNÉE**
dans le parc national
du Mont-Saint-Bruno
Dimanche 26 octobre
Rendez-vous sur
le stationnement
du magasin Costco
à 8 h. Retour à 19 h

AU SATURNE
SOIRÉE R'N'B
Spéciale 31 décembre
Avec souper
Et le DJ Doc Brian

6 Vous pouvez faire une proposition. Vous pouvez répondre à une proposition.

Rédigez un message de deux phrases pour les situations suivantes.
Corrigez ensemble. Notez-vous.
a. Vous invitez une amie à la Fête du Canada, le 1er juillet.
b. Vous recevez l'invitation d'un ami pour la randonnée
dans le parc national du Mont-Saint-Bruno.
Vous acceptez.
c. Vous recevez l'invitation d'une amie pour la soirée au Saturne.
Vous refusez.

.../10

7 Vous comprenez des informations sur la situation et les activités de quelqu'un.

Lisez la carte postale ci-contre.
Répondez « vrai » ou « faux » aux phrases suivantes.
a. Paul écrit la lettre.
b. Paul et Sophie travaillent.
c. Paul et Sophie travaillent ensemble.
d. Paul et Sophie ne connaissent pas Carole et François.
e. Carole et François savent où habitent Paul et Sophie.
f. Calgary est un village.
g. Calgary est dans une région de montagnes.
h. Paul et Sophie aiment Calgary.
i. Ils font beaucoup d'activités.
j. Mais ils n'aiment pas les activités sportives.

.../10

Calgary, le 10 janvier

Chère Carole et cher François
Nous habitons maintenant Calgary
et je suis très contente. Paul est professeur
à l'université. Moi je travaille à la bibliothèque
de la ville.
Calgary est une ville agréable. Nous allons
beaucoup au cinéma et au théâtre. Nous faisons
du ski et de la randonnée. La région est très
belle.
À bientôt.   Amitiés
Sophie

8 Vous pouvez rédiger un message pour dire ce que vous avez fait.

Observez les documents ci-contre.
Vous avez visité la ville de Gatineau. Vous écrivez une carte postale
à un(e) ami(e). Faites cinq phrases.
Lisez votre carte à la classe et décidez ensemble d'une note.

VILLE DE GATINEAU
Fête nationale du
Québec le 24 juin

Musée canadien
de l'histoire
10 $

Restaurant « *Fleur de sel* »

Hôtel Bellevue
3 nuits :
120 x 3 = 360 $

Croisière sur la Rivière
des Outaouais

.../10

9 🎧 Vous comprenez une indication de date et d'heure.

🎧 Écoutez. Marie a visité Gatineau. Elle répond à des questions.
Complétez les informations suivantes :
a. Arrivée à Gatineau : jour ...... heure ......
b. Départ de Gatineau : jour ...... heure ......
c. Croisière sur la rivière : jour ......,
de ...... à ......
d. Soirée de la fête nationale du Québec : jusqu'à ......
e. Ouverture du Musée canadien de l'histoire :
jours : ......
heures : ......

Comptez un point par réponse juste. Notez-vous.

.../10

10 Vous connaissez un peu le Canada.

Répondez par « vrai » ou par « faux ».
a. Les Canadiens travaillent 40 heures par semaine. ...
b. La Gaspésie est une région du Québec. ...
c. Il y a 34 millions d'habitants au Canada. ...
d. Il y a beaucoup d'immigrants au Canada. ...
e. Il y a trois langues officielles au Canada. ...
f. Il y a des plages aux Îles-de-la-Madeleine. ...
g. Il n'y a pas de montagnes au Canada. ...
h. L'été est la saison des fêtes et des festivals au Québec. ...
i. Toronto est la capitale du Canada. ...
j. Les enfants canadiens vont à l'école 5 jours par semaine. ...

Corrigez avec le professeur. Comptez un point par réponse juste.

.../10

11 🎧 Vous comprenez des informations sur le Canada.

🎧 Écoutez ces 10 phrases. Répondez par « vrai » ou par « faux ».
1. ...   2. ...   3. ...   4. ...   5. ...   6. ...   7. ...   8. ...   9. ...   10. ...

.../10

12 **Vous utilisez correctement le français.**

Faites les tests. Corrigez. Comptez 1 point par réponse juste.

a. La forme des verbes au présent. Mettez les verbes entre parenthèses à la forme qui convient.

– Allô, Mathieu ?

– Ah, bonjour, Katia. Où tu (*être*) ? Qu'est-ce que tu (*faire*) ?

– Je (*être*) à Montréal. Je (*faire*) un stage de théâtre. Nous (*travailler*) des pièces de Molière. C'est très intéressant et les stagiaires (*être*) sympathiques. Il y a beaucoup d'étrangers. J'(*avoir*) une amie italienne. Elle (*s'appeler*) Carla. La fin de semaine, nous (*visiter*) Montréal et le soir, bien sûr, nous (*aller*) au théâtre.

Notez sur ⬚ .../10

b. Les réponses affirmatives ou négatives. Complétez la réponse.

• Est-ce que Tina est canadienne ? – Non, elle ...
• Est-ce qu'elle parle bien français ? – Non, elle ...
• Est-ce qu'elle apprend le français ? – Oui, elle ...
• Est-ce qu'elle a des amis à Edmonton ? – Oui, elle ...
• Est-ce que les amis de Tina sont canadiens ? – Non, ils ...

Notez sur ⬚ .../5

c. L'emploi des articles. Choisissez le bon article.

• Le Louvre est (*un – le*) musée de Paris. Au Louvre, on peut voir (*les – des*) tableaux célèbres comme (*la – une*) Joconde.
• Pierre Lavoie est professeur à (*une – l'*) école de musique. C'est (*un – le*) bon professeur.
• La fin de semaine, Marie fait (*le – du*) sport. Elle aime (*le – du*) tennis. Elle fait aussi (*un – du*) vélo avec des amis.
• Je connais (*le – un*) bon restaurant sur (*une – la*) rue Saint-Denis.

Notez sur ⬚ .../5

d. Les accords dans le groupe du nom. Accordez les mots entre parenthèses.

(*Cher*) Eva

Je suis à Toronto pour quinze (*jour*) avec des (*ami*). C'est une très (*beau*) ville.

Nous avons visité tous les (*monument célèbre*).

Au musée royal de l'Ontario, nous avons vu de (*beau tableau*).

J'ai rencontré deux (*ami américain*) de l'université de Chicago.

Notez sur ⬚ .../5

e. Les prépositions. Complétez.

Antonio est né ... Espagne.

Il est venu ... Vancouver pour passer une semaine de vacances.

Il est arrivé hier ... 10 heures.

Il habite ... un ami.

Aujourd'hui, il va aller ... musée maritime.

Notez sur ⬚ .../5

f. Le passé. Mettez les verbes à la forme qui convient.

• La fin de semaine dernière, qu'est-ce que tu (*faire*) ?
– Je (*aller*) au Mont-Tremblant avec Paul et les enfants. Le samedi, Paul et les enfants (*partir*) faire du vélo. Moi, je (*rester*) au chalet. J'(*dormir*) et j'(*lire*). Le soir, nous (*souper*) au restaurant.
• Vous (*n'.... pas – faire*) une randonnée ?
– Oui, le dimanche, nous (*aller*) au lac de la Truite Rouge. Nous (*voir*) des ratons-laveurs. Nous (*rentrer*) fatigués.

Notez sur ⬚ .../10

Évaluez vos compétences

	Test	Total
• Votre compréhension de l'oral	2 + 9 + 11	.../30
• Votre expression orale	1 + 3	.../20
• Votre compréhension de l'écrit	5 + 7 + 10	.../30
• Votre expression écrite	4 + 6 + 8	.../30
• La correction de votre français	12 (a + b + c + d + e + f)	.../40
Total		**.../150**

Projet : sortie virtuelle

Dans les pages suivantes, vous allez apprendre comment pratiquer le français après la classe.

Lisez ces pages. Puis avant le prochain cours, faites une recherche sur Internet ou regardez une chaîne francophone de télévision.

Au prochain cours, présentez votre recherche ou vos observations.

Voyager avec Internet

Programmez votre moteur de recherche (par exemple « Google ») pour une recherche de sites francophones.

Vous pouvez chercher à partir…

- **d'un pays, d'une province ou d'une région :** la Belgique, le Québec, la Provence, l'Acadie
- **d'une ville :** Québec, Paris, Montréal, Genève, Dakar
- **d'un musée :** le Louvre, le Musée des beaux-arts de Montréal, Pointe-à-Callière, le Musée de l'Amérique française
- **d'un monument :** le Marché Bonsecours, la tour Eiffel, la basilique-cathédrale Notre-Dame de Québec
- **d'un écrivain :** Michel Tremblay, Anne Hébert, Molière
- **d'un musicien ou d'un artiste :** Félix Leclerc, Emily Carr, Oscar Peterson
- **d'une personnalité historique :** Jacques Cartier, John A. Macdonald, Napoléon
- **d'un artiste d'aujourd'hui :** Céline Dion, Gérard Depardieu, Marie-Josée Croze
- **d'un personnage :** Tintin, Astérix
- **d'une marque :** Bombardier, Blackberry, Chanel

Observez le site ci-contre.

1 Que représente ce site ?
2 Soulignez les mots que vous comprenez.
3 Sur quel mot cliquez-vous pour connaître…

- les heures d'ouverture et de fermeture
- comment aller au Centre des sciences de l'Ontario
- le prix du billet
- les activités pour les enfants
- les activités pour les passionnés de nouvelles technologies
- comment devenir membre du Centre

Sites Internet

▶ **Voici le Canada**
http://www.canada.ca
Des informations sur la vie
au Canada.

▶ **Voyage : régions canadiennes**
http://www.canada.travel
Des photos et des informations
sur les régions du Canada.

▶ **Bienvenue au Québec**
http://www.bonjourquebec.com
Site touristique officiel du
gouvernement du Québec

▶ **Ottawa**
http://ottawa.ca/fr/visiteurs
Pour connaître la capitale
du Canada et sa vie culturelle.

▶ **Montréal**
http://ville.montreal.qc.ca
L'histoire, les spectacles, les
sports, les projets dans la grande
ville francophone du Canada.

▶ **Genève**
http://www.geneve-tourisme.ch/fr
Imaginez une ville où toutes
les cultures se rencontrent.

▶ **Paris**
http://www.paris.org
Visite guidée des monuments
et des musées de Paris.

▶ **Les musées**
Sur votre écran, tous les tableaux,
toutes les sculptures des grands
musées du Canada.
Le Musée des beaux-arts
de Montréal :
http://www.mbam.qc.ca
Le Musée d'art contemporain
de Montréal :
http://www.macm.org
Le Musée canadien de l'histoire :
http://www.museedelhistoire.ca

▶ **La chanson**
http://www.paroles.net
Les paroles des chansons
françaises et francophones.

▶ **Le cinéma**
http://www.cinoche.com
Les films anciens et nouveaux :
résumé, acteurs et actrices,
photos.

▶ **Les spectacles**
http://www.voir.ca
Les spectacles et les événements
au Québec.

Regarder la télévision... Écouter la radio

Grâce à Internet, vous pouvez regarder la télévision et écouter la radio partout au Canada.

ICI RaDIO-CaNaDa 🔵 .ca

DES CHOSES À DIRE
TV5

Ⓥ GROUPE MÉDIA **TFO** **ICI** 🔵 TOU.TV

Radio-Canada : ici.radio-canada.ca
V : http://vtele.ca
TV5 Québec Canada : http://www.tv5.ca
Télé Québec : http://www.telequebec.tv
TFO : http://www3.tfo.org
98,5 fm Montréal : http://www.985fm.ca

Au programme :

Lisez les titres des émissions
de Ici Radio-Canada-Télé ci-contre.
Imaginez le sujet de ces émissions.

- Le téléjournal Midi
- Qu'est-ce qu'on mange pour souper ?
- La semaine verte
- L'épicerie
- Cinéma d'ici
- La facture

Lire la presse

Quand on connaît l'anglais, l'espagnol, le portugais, l'italien ou le roumain, lire en français n'est pas très difficile. Beaucoup de mots se ressemblent.

Faites l'expérience. Lisez des journaux et des magazines.

Vous pouvez trouver la presse canadienne francophone sur Internet.

Le Journal de Montréal : http://www.journaldemontreal.com

Acadie Nouvelle : http://www.acadienouvelle.com

L'Actualité : http://www.lactualite.com

Elle Québec : http://www.ellequebec.com

Les Affaires : http://www.lesaffaires.com

Découvrir la francophonie du Canada

Selon le site du Commissariat aux langues officielles du Canada (http://www.ocol-clo.gc.ca), voici la répartition du nombre de personnes qui parlent français au Canada :

Terre-Neuve-et-Labrador	23 765		Saskatchewan	47 935
Île-du-Prince-Édouard	17 160		Alberta	225 085
Nouvelle-Écosse	96 010		Colombie-Britannique	297 715
Nouveau-Brunswick	313 835		Yukon	3 545
Québec	7 028 740		Territoires du Nord-Ouest	3 715
Ontario	1 426 535		Nunavut	1 190
Manitoba	105 450		**Total**	**9 590 700**

Le Centre de la francophonie des Amériques : http://www.francophoniedesameriques.com/

unité 2

Survivre en français

Pour vous **préparer à un voyage**
au Canada ou dans un pays francophone
▶ **Épisode 5**

Vous allez **apprendre
à vous débrouiller**...
... dans le train, l'avion, le métro
... dans la rue, sur la route
▶ **Épisode 6**

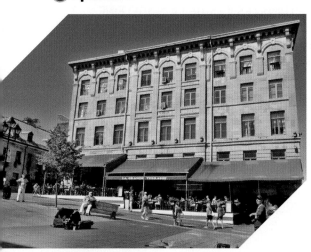

... À l'hôtel,
au restaurant
▶ **Épisode 7**

... Avec les petits
problèmes quotidiens
▶ **Épisode 8**

Alpha Voyages

Plus loin Moins cher

Accueil • Séjours • Circuits • Fins de semaine • Avion • Train

Nos meilleurs prix

- ▶ Cuba (15 j)   900 $
- ▶ Mexique (7 j)   950 $
- ▶ Bahamas (7 j)   1 500 $
- ▶ Jamaïque (7 j)   990 $
- ▶ République
  dominicaine (7 j)   750 $

Vacances en formule tout-compris

Spécial forme

Pour être mieux dans sa tête et mieux dans son corps.

FORFAIT SPA ET HÉBERGEMENT

Deux nuits en chambre d'hôtel 4 étoiles. Profitez des massages, des piscines, du sauna, du jacuzzi, d'un bain vapeur et d'une salle d'entraînement.

Circuits organisés

Partez plus détendu.

LES ROCHEUSES CANADIENNES

Un paysage grandiose.
Vivez l'expérience du train entre Vancouver et Jasper.

Circuit Découverte

Pour être plus près du pays et de ses habitants.

RANDONNÉE DANS LES ÎLES-DE-LA-MADELEINE

Découverte de la nature, vacances actives dans les décors nature.
Dégustation du fameux homard.
Rencontres avec les habitants.

Formule Liberté

Nous vous proposons une voiture et nous organisons votre hébergement.

LA RÉGION DES CHUTES DU NIAGARA

À votre rythme, explorez la région, admirez les chutes du Niagara, découvrez les meilleurs vins du pays, admirez les belugas à Marineland.

Séjour aventure

DÉCOUVERTE DE LA GUYANE

À pied ou en pirogue, découvrez la forêt amazonienne et les villages Wayanas.

Forfaits tout-compris

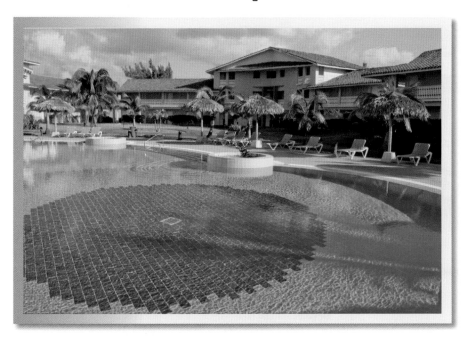

Demandez la liste de nos destinations dans le monde.

Choisissez votre voyage

Travail en petits groupes.

1• **Lisez et discutez les propositions d'Alpha Voyages :**
– le type de voyage : séjour, circuit, etc.
– les destinations : les Rocheuses...
– les activités : visiter, regarder...

2• **Choisissez un voyage et présentez-le à la classe.**
« Nous préférons... C'est plus... »
Dites pourquoi vous n'avez pas choisi les autres propositions.

Les voyages

• **Les types de voyage**
voyager en groupe – avec des amis –
seul(e) – un voyage organisé –
un circuit – un séjour dans un hôtel

• **Les transports**
la voiture – le train – l'avion – le bateau
partir, voyager... en voiture, en train, en
avion, en bateau... à pied, à vélo

• **Opinions**
L'Australie, c'est loin du Canada. C'est
près de la Nouvelle-Zélande.
un voyage fatigant/tranquille – intéres-
sant/pas intéressant – cher/pas cher
Au Pérou, on peut voir des monuments.
On peut faire...
Les voyages organisés sont plus tran-
quilles.
Ils sont moins fatigants.
Ils sont aussi intéressants.
La randonnée, c'est trop fatigant.

Réalisez la page d'accueil Internet d'une agence de voyages

À faire par petits groupes de 4 ou 5 étudiants.
• Chaque groupe va réaliser une page
d'accueil.
• Dans chaque groupe, chaque étudiant
choisit un ou deux types de voyage.
• Il réalise une petite présentation pour
chaque voyage.
• Le groupe compose sa page d'accueil.
• Il présente sa page d'accueil à la classe.
« Nous proposons un circuit aventure
dans le parc du Grand Canyon en
Arizona aux États-Unis. On va voir...
On va faire... »

Bon voyage !

Comparer les choses

Cuba	700 $
Mexique	999 $
Jamaïque	950 $
Italie	1 700 $
France	1 700 $
Bermudes	1 899 $
Floride	1 150 $

> Le prix du voyage en France est 1 700 $.
> Le voyage aux Bermudes est **plus** cher.
> Le voyage au Mexique est **moins** cher.
> Le voyage en Italie est **aussi** cher.

> Ces voyages sont **trop** chers pour moi !

> Découvrez la France pour 1 700 $

1 **Observez la construction. Continuez les comparaisons.**

Le prix du voyage en Jamaïque est 950 $.
Le voyage en Italie est ...
Le voyage en France est ...
Le voyage au Mexique est ...
Le prix du voyage à Cuba est ...
Le voyage aux Bermudes et le voyage en Floride sont ...

2 **Faites des comparaisons :**

• entre les pays
La Russie est un grand pays. Le Canada est plus petit ...
• entre les villes
Ottawa est une belle ville mais ...

Comparer

• La ville de Calgary (1 million d'habitants) est une grande ville. La ville de Toronto est **plus** grande. Ottawa (1 million d'habitants) est **aussi** grande. Winnipeg (700 000 habitants) est **moins** grande.
• L'Hôtel du Parc est un bon hôtel. Mais l'Hôtel du Palais est **meilleur**. L'Hôtel du Centre est **moins** bon.

NB – Pour en savoir plus sur la comparaison, voir p. 133.

Montrer

> Voici le lac Arnica et les Rocheuses. Regarde **ces** montagnes, **ce** lac, **cette** forêt ! Écoute **ce** silence ! On va dormir ici !

> C'est quoi, **cet** animal ?

1 **Observez les mots utilisés pour montrer. Complétez.**
Entendu au musée Grévin

« Qui sont ... personnages ?
Je connais ... acteur, c'est Ryan Gosling.
Et ... chanteuse, c'est Marie-Mai.
Regarde ... visiteur. C'est un personnage de cire ! »

Les démonstratifs

Ils sont utilisés quand on montre...
→ Regardez **cette** belle fille.
... ou quand on situe dans le temps.
→ **Ce** matin, il fait beau.

	masculin	féminin
singulier	**ce** livre **cet** hôtel (devant une voyelle et h)	**cette** photo
pluriel	**ces** livres – **ces** hôtels – **ces** photos	

Indiquer une appartenance

> Pierre cherche **sa** montre.
> Où est la montre de Pierre ?
> Où est **son** cellulaire ? Et **ses** lunettes ?

> Qui a vu les lunettes de Pierre ?

> **Leurs** vacances sont finies.

> Où sont **ma** montre,
> **mon** cellulaire,
> **mes** lunettes ?

> Voici **tes** lunettes. Cherche
> **ta** montre et **ton** cellulaire.

> Où est **votre** tente ?
> Où sont **vos** enfants ?

> Nous avons **notre**
> console portable et
> **nos** jeux !

1 Observez comment on indique une appartenance :
• quand la chose appartient à :
– une personne
– des personnes
• quand la chose est un mot masculin, féminin ou pluriel.

2 Complétez.
Sophie montre des photos à Denis.
• Regarde ! Voici … appartement à Québec, … rue, … université.
Ici, c'est la maison de … parents avec … jardin et … voiture.
Voici … amie Charlotte et … chien.
– Et lui, qui est-ce ? … copain ?
• Tu es bien curieux, toi !
– Oui, je veux savoir … nom, … profession, … goûts, tout !

Les possessifs

personnes	devant nom masculin singulier (et féminin commençant par une voyelle)	devant un nom féminin singulier	devant un nom pluriel
je	**mon** livre **mon** amie	**ma** photo	**mes** livres **mes** photos
tu	**ton** livre **ton** amie	**ta** photo	**tes** livres
il-elle	**son** livre **son** amie	**sa** photo	**ses** photos
nous	**notre** livre **notre** amie	**notre** photo	**nos** amies
vous	**votre** livre **votre** amie	**votre** photo	**vos** photos
ils-elles	**leur** livre **leur** amie	**leur** photo	**leurs** livres

Apprendre les nouveaux verbes

1 Cherchez deux verbes conjugués comme « prendre ».

2 Observez la conjugaison de « prendre » et de « mettre ».
Notez les formes régulières.

NB – À partir de la leçon 6, les nouveaux verbes ne sont pas conjugués dans la leçon. Voir toutes les conjugaisons p. 134.

prendre	mettre
je prends	je mets
tu prends	tu mets
il/elle prend	il/elle met
nous prenons	nous mettons
vous prenez	vous mettez
ils/elles prennent	ils/elles mettent

À l'écoute de la grammaire

1 Prononciation des possessifs. Sons [ɔ] et [ɔ̃].
Photos souvenirs
Mon école… Mon prof de sport…
Mon copain Léon… Son amie Flore…
Ton amie Manon…
Notre sortie à la montagne…

2 Distinguez [y] et [u].
Déclaration
Tu es le plus sympa de tous…
le plus curieux… le plus mystérieux…
le plus fou… le plus jaloux…
Tu es mon plus beau souvenir !

La traversée du Québec

1 – Décision

1 C'est bientôt les vacances.

Florence Lafleur travaille à Montréal, au Musée des beaux-arts. Son mari, Samuel Simard, travaille dans une banque. Ils ont une fille, Rosalie.

Florence : Tu as vu ces prix ? 895 $ la semaine pour un forfait spa et hébergement dans les Cantons de l'Est !

Samuel : Et ce voyage au Mexique : 1 600 $, 1 600 $ par personne pour un voyage au Mexique !

Florence : Oublie le Mexique.

Samuel : Pourquoi ?

Florence : C'est trop loin.

Samuel : Comment « trop loin » ?

Florence : Cette année, Rosalie passe ses vacances chez Julie.

Samuel : Et alors ?

Florence : Et alors, quand ma fille passe ses vacances au Canada, je reste au Canada.

Samuel : On peut faire la randonnée dans les Laurentides. C'est plus près.

Florence : Trop fatigant pour moi. J'ai envie de vacances tranquilles. Qu'est-ce que tu penses du spa dans les Cantons de l'Est ?

Samuel : Pourquoi pas ?

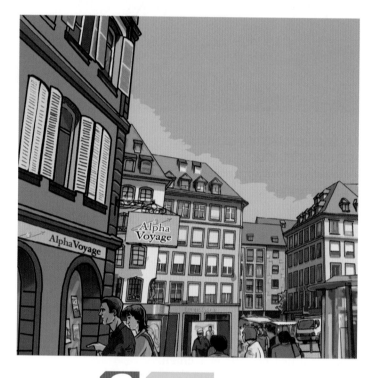

2 Plus tard.

Samuel : Florence, on ne peut pas aller au spa !

Florence : Et pourquoi ?

Samuel : Parce qu'ils ne prennent pas les chiens.

Florence : C'est pas un problème. Laissons Fido à tes parents !

Samuel : Mon père n'aime pas les chiens. Pourquoi pas à ta mère ? Elle adore les animaux !

Florence : Ma mère a son chat, ses oiseaux et son mari. Ça fait beaucoup !

Samuel : Écoute, Florence ! Fido, c'est ton chien. Le spa, c'est ton idée. Alors tout ça, c'est ton problème !

Florence : J'ai compris. On ne va pas dans les Cantons de l'Est.

Deux jours après.

Samuel : Ah, on a un message de Clara et de Jérôme.

De : **Clara et Jérôme**
Objet : **Vous êtes les bienvenus**
À : **Samuel**

Salut les amis !

Ça y est. Nous sommes dans notre nouvelle maison à Percé, en Gaspésie.
Voulez-vous venir découvrir la région ?
Vous êtes les bienvenus en juillet ou en août.
À bientôt,
Clara et Jérôme

 Le 1ᵉʳ août à la gare.

Florence : Tu n'as pas oublié ta carte d'embarquement ?
Rosalie : Non, maman.

 Transcription

Compréhension et simulations

 1 Complétez l'histoire.
Samuel voudrait …. Florence ne veut pas parce que …
Samuel propose … mais …

2 Imaginez et jouez la scène.
Avec votre ami(e), vous cherchez un lieu de vacances. Vous regardez la page d'un site Internet d'agence de voyages.

3 SCÈNE 2.
a. Répondez.
Pourquoi Florence veut-elle aller dans les Cantons de l'Est ?
Quel est le problème ?
Pourquoi ne peut-on pas laisser le chien chez les parents de Samuel ? Et chez les parents de Florence ?
b. Relevez le nom des membres de la famille.

4 Jouez la scène.
Avec votre ami(e), vous partez en voyage pour trois mois. À qui allez-vous laisser : le chat, la grande plante du salon, les clés de la boîte aux lettres, etc.

5 SCÈNE 3.
Lisez le message. Imaginez le dialogue entre Samuel et Florence.

6 SCÈNE 4.
Transcrivez la fin du dialogue.

Expliquer
• Tu es en retard. **Pourquoi ?**
  Pourquoi est-ce que tu arrives à 10 h ?
• **Parce que** j'ai eu un problème.
  J'arrive à 10 h **parce que** le métro a eu du retard.

🎧 Sons, rythmes, intonations

1 Les sons [b] - [v] - [f]. Cochez le son que vous entendez.

	b	v	f
1			

2 Les sons [b] et [v].
Après le concert
Quelle voix !…
Bravo ! C'est beau…
C'est bien… Je reviens…
Et vous ?… Votre avis ?…
Mon avis ?… C'est bizarre…
Et vos amis ?…
Que font-ils ?… Ils vont au concert ?…
Non, on les voit… dans les boîtes de nuit.

La longue fin de semaine de la fête du Travail

du 29 août au 1er septembre

Enquête sur les voyages de la longue fin de semaine de la fête du Travail.

Vendredi 17 h, rue Saint-Denis à Montréal. Sophie et Sylvain mettent leurs valises dans la petite Nissan. Destination : la Mauricie. Mais pas par l'autoroute. « On préfère partir à l'aventure, sans réservation d'hôtel. Il y a beaucoup de jolies petites routes. On passe par là. C'est plus tranquille. »

Samedi 9 h, gare Centrale de Montréal. Julie achète son billet pour Toronto. « L'an dernier, j'ai mis 9 heures pour faire Montréal-Toronto en voiture, par l'autoroute. Cette année, je prends le train. Regardez, il est à l'heure. Dans 5 heures, je suis à Toronto. Mes amis viennent me chercher à la gare. »

11 h, autoroute 15, à Saint-Bernard-de-Lacolle, à la frontière Canada-États-Unis.

Yves et sa petite famille préparent leurs passeports avant de passer la douane. Ils ont mis 3 heures pour venir de Saint-Jérôme. Encore 3 heures d'attente à la douane et 6 heures de route pour arriver à New York. Mais pour Yves, ce n'est pas un problème. « C'est la longue fin de semaine. Ce soir, on est à Manhattan. On est content. » Et pour les enfants ? « Ils adorent les voyages. Ce sont les seuls jours de l'année où ils peuvent jouer à leurs jeux vidéo préférés du matin au soir. »

Lecture de l'article

1 Quand et pourquoi cet article a-t-il été écrit ? Où est allé le journaliste ? Qui a-t-il interrogé ?

2 Cherchez en petits groupes les informations particulières au Canada. Comparez avec votre pays.

3 Avec quel voyageur de l'article préféreriez-vous voyager ? Pourquoi ?

Écriture

Interview imaginaire. À faire en petits groupes.
Vous êtes un groupe de journalistes et vous décidez de faire un article sur les départs en vacances ou pour une longue fin de semaine au Canada ou dans un autre pays.

1 Chaque journaliste choisit un lieu (une gare, une station d'essence, etc.) et des touristes (une personne seule, un groupe d'amis). Il imagine l'interview et rédige cinq ou six lignes.

2 Regroupez les petites enquêtes dans un article.

Voyager au Canada

TRAIN	DESTINATION	EMBARQUEMENT	DÉPART	VOIE	REMARQUES
57	OTTW/TRTO	14:30 N	15:00	15	À L'HEURE
67	TORONTO	15:10 *	15:40	13	COMPLET
59	OTTW/TRTO	15:30	16:00	14	À L'HEURE
26	QUÉBEC	15:40	16:10	17	À L'HEURE
69	TRTO/ALDR	16:30	17:00	19	COMPLET
37	OTTW/FALL	16:35	17:05	15	À L'HEURE

Merci de voyager avec VIA Rail Canada -- Thank you for tr

	ARRIVÉES		ARRIVALS		
TRAIN	EN PROVENANCE	HEURE	PRÉVU	VOIE	REMARQUES
50	TRTO/OTTW	13:18	13:51	14	RETARDÉ
62	TORONTO	14:23		19	À L'HEURE
25	QUÉBEC	15:52		19	À L'HEURE
52	TRTO/OTTW	16:17		15	À L'HEURE
64	TORONTO	16:52		14	À L'HEURE
28	OTTAWA				

Les Canadiens utilisent beaucoup leur voiture. Le réseau des routes et des autoroutes est très important.

La société VIA Rail organise les voyages en train entre les grandes villes du Canada. On prend le train de banlieue pour voyager à l'intérieur de la métropole : AMT (Agence Métropolitaine de Transport) pour Montréal, GO Transit pour Toronto, TransLink pour Vancouver.

Pour aller d'une ville à une autre, on peut aussi prendre l'autocar. Dans chaque grande ville, il y a un aéroport. Air Canada, WestJet, Air Transat, Sunwing et d'autres compagnies proposent des vols pour Ottawa, les autres villes du Canada ou de l'étranger.

À Montréal, à Toronto et à Vancouver, on peut prendre le métro. Dans toutes les villes canadiennes on utilise le bus ou le tramway (Toronto) ou le train léger (Calgary, Edmonton, Ottawa).

Et, bien sûr, on peut aussi prendre un taxi.

Utile en voyage

Les lieux
une gare (la gare VIA Rail), un aéroport international, un arrêt de bus, une station de métro, une gare routière

Les billets
un billet de train, d'avion – un ticket de métro, de bus – acheter un billet, un ticket

Réserver, confirmer, annuler
Je voudrais réserver, confirmer, annuler...
– une place dans le train...
– sur le vol Air Canada...

Voyage à l'étranger
demander un visa – aller à l'ambassade du Canada... au consulat des États-Unis
– présenter son passeport

Situations en voyage

🎧 Écoutez. Faites correspondre chaque scène à une photo ci-dessus et à une des situations suivantes.

a. oubli → ...
b. réservation → ...
c. annulation → ...
e. tranquillité → ...
d. demande de renseignements → ...

Comparaisons

Donnez votre opinion sur les transports dans votre pays et dans votre ville.

▶ **Document 3**

Les échos d'Écho sur cle-inter.com/echo

Le Plaisir du Marché

Traiteur

organise vos réceptions : buffets, cocktails, dîners, mariages.

Les entrées

- **L'assiette des quatre saisons**
avec des tomates, des olives,
de la salade verte, des carottes
et des œufs.

- **L'assiette de charcuterie**
avec du saucisson de Bologne,
du jambon Forêt-Noire, du pâté
de campagne.

- **L'assiette espagnole**
avec du jambon serrano,
du cantaloup, du chorizo.

- **L'assiette grecque**
avec des tomates, du féta,
des champignons, des olives et
des concombres au yogourt.

- **L'assiette des Provinces
maritimes**
avec du saumon de l'Atlantique
et des poissons de la côte
acadienne.

Spécialités
« Parfums du monde »

Le couscous géant   Les fajitas au bœuf
La paella valenciana   La pizza (jambon,
Le curry de Madras   tomates, olives,
Les sushis au saumon   champignons)

Les plats

Pâté chinois (viande, maïs, purée de pommes de terre)
Poulet rôti et frites
Rôti de bœuf Angus
Saucisse italienne
Côtelette d'agneau de Charlevoix
Poisson à la provençale

Le plateau de fromages

Nos desserts

Salade de fruits
Tartes : aux poires, aux pommes et à l'érable, aux fraises, aux bleuets, au sucre.
Gâteau maison au chocolat
Crème glacée à la vanille
Tiramisu
Gâteau au fromage

Les boissons

Eaux minérales
Liqueurs (*Pepsi*, *Sprite*, *Mountain Dew*...)
Cidre de glace
Bière ou vin
Café ou thé

Nos prix

(par personne, boissons comprises)

Formule buffet
Buffet de 5 entrées + dessert   30 $ + taxes

Formule table d'hôte
1 entrée + 1 plat principal + dessert   40 $ + taxes

Nous organisons aussi l'animation de votre soirée

Animation musicale avec DJ   400 $
Animateur chanteur   250 $
Animateur magicien   300 $
Feu d'artifice (à partir de 550 $)

Organisez une fête

Ensemble ou en petits groupes, vous allez organiser une fête.

1• Choisissez le lieu de la fête.
Votre école de langues, chez vous, etc.

2• Choisissez les invités.
Discutez et faites la liste des invités.

3• Organisez le programme de la fête.

4• Commandez le repas au traiteur.
a. Avec le professeur, lisez les propositions du traiteur « Le plaisir du marché ». Dites :
– ce que vous aimez,
– ce que vous mangez dans votre pays.
b. Lisez le tableau de vocabulaire ci-dessous.
c. Composez votre menu ou votre buffet pour la fête.

5• Organisez l'animation de votre fête.
Vous pouvez choisir une animation proposée par le traiteur ou un autre type d'animation.

6• Calculez votre budget.

7• Rédigez le programme de votre invitation.

Pour comprendre un menu – Pour parler d'un repas

la viande
le poulet – le bœuf – l'agneau – le porc (le jambon, des saucisses grillées) – un rôti de bœuf – une côtelette d'agneau

les poissons
le saumon – le thon
manger de la viande, du poisson, etc.
être végétarien

avec la viande ou le poisson
les pommes de terre (frites, en purée) – le riz – les haricots verts (m) – les carottes (f) – une tomate – un chou – un concombre – de la salade verte – des olives (f) – des champignons (m)

le lait – le fromage – un yogourt – les œufs (un œuf) – les pâtes

les fruits
une pomme – une banane – une fraise – un cantaloup – une orange – des bleuets

les desserts
un gâteau – une tarte – une crème glacée

les boissons
l'eau (l'eau minérale) – la bière – le vin (rouge, blanc, rosé) – le jus (d'orange) – le café – le thé
boire de l'eau, un café...

6 Bon appétit !

Nommer les choses

Qu'est-ce que c'est ? **De la** viande ?

Non, ce n'est pas **de la** viande, c'est **du** poisson !

Je connais votre frère.

Heu, je n'ai pas **de** frère.

Il y a **du** vin rosé ?

Non, il y a **du** vin rouge, **du** vin blanc, mais il **n'**y a **pas de** vin rosé.

Moi, je n'aime pas **le** saucisson.

Je voudrais **un** jus d'orange, s'il vous plaît.

C'est formidable. Il y a **du** monde !

Le dimanche, je fais **du** vélo. J'ai un magnifique vélo.

❶ Observez l'emploi des articles. Classez-les. Complétez les cases du tableau.

	masculin	féminin	pluriel
On parle de personnes ou de choses différenciées ou comptables			
On parle de choses indifférenciées ou non comptables			
On parle de personnes ou de choses en général			

Observez les formes négatives.

❷ Complétez.

Avant le repas
- … apéritif ?
– Qu'est-ce que tu as ?
- … whisky, … Martini.
– Non merci, pas … alcool !
- … jus d'orange ?
– Non merci, pas … sucre !
- J'ai … eau minérale.
– D'accord, … verre d'eau minérale.
- Tu veux … olives, … croustilles ?
– Je prends … olive, merci.

Après le repas
- Tu veux … thé ?
– Non merci, je n'aime pas … thé. Je préfère … café.
- Alors … café ?
– D'accord.
- Avec … lait ?
– Non merci, sans lait.
- Avec … sucre ?
– Oui, s'il te plaît, … morceau de sucre.
- Tu as aimé … repas de Clara ?
– J'ai adoré … côtelettes d'agneau. Clara est … très bonne cuisinière.

Emploi des articles

1. *un - une - des*. Quand on perçoit les personnes et les choses comme différenciées ou comptables

Je voudrais **un** verre d'eau.
Je mange **une** crème glacée.
J'ai **un** frère.

2. *du - de la - de l'*. Quand on perçoit les personnes et les choses comme indifférenciées ou non comptables

Je bois **de l'**eau.
Au dessert, il y a **de la** crème glacée.
Il y a **du** monde dans le restaurant.

3. *le - la - l' - les*. Quand on parle de personnes ou de choses en général
J'aime le café de Colombie.

NB – Après les verbes comme *aimer, adorer, préférer*, on utilise l'article défini à valeur générale.
Vous avez du café ? J'adore le café.

Attention à la forme négative :
- **avec les articles indéfinis et partitifs**
Vous avez **du** thé ? – Je **n'**ai **pas de** thé.
Tu connais **un** bon restaurant ? – Je **ne** connais **pas de** bon restaurant.

- **sauf dans les cas suivants**
Ce n'est pas **du** wisky, c'est **du** rhum.
Je n'ai pas **un** frère, j'ai **une** sœur.

Interroger – Répondre

> Tu viens souper à la maison ? Est-ce que tu aimes le poisson ?

> Venez-vous souper à la maison ? Quand êtes-vous libres ?

1 **Observez les phrases et lisez le tableau. Trouvez :**
– les trois façons de poser une question
– les mots interrogatifs

2 **Complétez ce dialogue avec les questions.**
- ... ?   →   – Oui, je pars en vacances.
- ... ?   →   – Dans les Rocheuses.
- ... ?   →   – En août.
- ... ?   →   – Avec Marie, Vanessa et Luc.
- ... ?   →   – De la randonnée.
- ... ?   →   – Oui, je vais faire du vélo.

Les questions

- **Question générale**
  Vous aimez le curry ?
  Est-ce que vous aimez le curry ?
  Aimez-vous le curry ?
  Marie aime-t-elle le curry ?
- **Les mots interrogatifs (avec chacune des trois formes)**
  Qui invitez-vous ? (**Avec qui** vient-il ? **À qui** parle-t-il ?)
  Qu'est-ce que vous préparez ?
  Où vous faites le repas ?
  Quand faites-vous votre réception ?

Les réponses

- **Vous prenez du vin ?** – **Oui**, je prends du vin
  – **Non**, je ne prends pas de vin.
- **Vous ne prenez pas de vin ?**
  – **Oui**, je prends du vin.
  – **Non**, je ne prends pas de vin.

Exprimer la possession

1 **Complétez les réponses avec une forme « à + pronom ».**
Rangements dans la maison
- C'est ton cellulaire ?
- Oui, il est à moi.
- C'est le dictionnaire de Pierre ?
- Oui, ...
- Les enfants, ce sont vos jeux vidéo ?
- Oui, ...
- Ce sac est à Marie ?
- Non, il .... Il est à Julie.
- Ce stylo n'est pas à toi, Pierre ?
- Oui, ...

> À qui est ce sac ? Il est à toi ?

> Non, il n'est pas à moi. Il est à Matilde.

La forme possessive « à + pronom »

On utilise cette forme pour indiquer la personne qui possède une chose.
– La voiture Chevrolet est à Mathilde ?
– Oui, elle est **à elle**.

🎧 À l'écoute de la grammaire

1 **Rythme et intonation de la question**
Philosophie
Qui sommes-nous ? Que faisons-nous ?
Que savons-nous ?
Où vont-ils ? Que voient-elles ?
Que peuvent-ils ?
Que dis-tu ? Que connais-tu ?
Que comprends-tu ?

2 **Notez l'article que vous entendez.**
Liste pour le supermarché
un poulet... **du** pain... **des** tomates...

3 **Rythme de la phrase négative**
Régime
Elle ne boit pas de vin
Elle ne mange pas de pain
Elle ne prend pas de riz
Pas de pommes de terre, pas de rôti
Juste un verre d'eau et un gâteau

La traversée du Québec

 2 – En route

1 Florence et Samuel ont décidé de faire leur voyage en trois jours. Le premier soir, ils s'arrêtent à Québec.

Samuel : Bonjour. On a une réservation au nom de Simard.
La réceptionniste : Simard… Vous avez dit Simard. S-I-M-A-R-D ?
Samuel : C'est ça. Samuel Simard.
La réceptionniste : Je n'ai pas de réservation à ce nom.
Samuel : Attendez. J'ai réservé la semaine dernière. J'ai votre confirmation.
La réceptionniste : Je peux voir ?
Samuel : Tenez.
La réceptionniste : Et voilà ! Vous avez réservé à l'Hôtel Panoramique. Ici, c'est la Résidence Panorama.
Florence : Excusez-nous. Panorama, Panoramique, c'est presque pareil !
La réceptionniste : Vous n'êtes pas les premiers à faire l'erreur… Le Panoramique est un peu plus loin dans la même rue.
Samuel : Merci et au revoir.
La réceptionniste : Bonnes vacances !

2 Le deuxième jour à midi, dans une crêperie de Québec.

La serveuse : Qu'est-ce que vous prenez ?
Florence : Une Parisienne.
Samuel : La Spéciale, c'est quoi ?
La serveuse : Du jambon, des œufs et du fromage.
Samuel : Mais alors, il n'y a pas de différence avec la Paysanne : jambon, œuf, fromage !
La serveuse : Ah oui ! Dans la Paysanne, il y a du jambon fumé, dans la Spéciale du jambon cuit.
Samuel : Je comprends ! Alors je prends la Paysanne. Je ne suis pas au régime.
La serveuse : Et comme boisson ? Du cidre, du vin, de la bière ?
Florence : On boit de l'eau. Après on prend la route.

CRÊPERIE
Au sucré salé
Menu

Pour commencer
L'Alsacienne : bacon, oignons, fromage
La Savoyarde : jambon cru, pomme de terre, fromage
La Parisienne : jambon, champignons, gruyère
La Bretonne : fruits de mer, champignons
La Paysanne : jambon, œuf, fromage
Demandez La spéciale
Pour finir

3 À la fin du repas. //

Transcription

4 Près de Rimouski. Samuel et Florence cherchent un cadeau pour leurs amis. //////////////

Florence : Samuel, on doit trouver un cadeau pour Clara.
Samuel : Et un pour Jérôme.
Florence : Qu'est-ce qu'il aime Jérôme ? Tu sais, toi ?

Transcription

Compréhension et simulations

1 SCÈNE 1. Écoutez et dites si les phrases suivantes sont vraies ou fausses.
a. La réceptionniste n'a pas M. Simard sur sa liste.
b. Samuel a réservé à la Résidence Panorama.
c. La Résidence Panorama est loin de l'Hôtel Panoramique.
d. Samuel et Florence vont dormir à l'Hôtel Panoramique.

2 SCÈNE 2. Observez le menu. Écoutez et notez la commande de Florence et de Samuel.

3 Préparez et jouez les dialogues suivants (à deux).
• De votre chambre d'hôtel, vous commandez votre déjeuner.
• De chez vous, vous commandez une pizza à Pizza Service.
• Vous êtes serveur ou serveuse dans un restaurant de votre pays. Un client francophone vous demande des explications sur le menu.

4 SCÈNE 3. Transcrivez le dialogue.

5 SCÈNE 4. Imaginez la suite du dialogue. Écoutez le dialogue et transcrivez-le.

6 Préparez et jouez la scène (à deux).
Avec un(e) ami(e), vous choisissez un cadeau pour quelqu'un de votre classe.

Pareil ou différent

• Le camembert et le fromage en grains, ce n'est pas **pareil**.
• Le camembert est **différent** du fromage en grains.
• Marie et moi, nous aimons **les mêmes** choses.

Sons, rythmes, intonations

1 Le [ə] final. Écoutez. Observez. Répétez et continuez.
Préférences
Moi, j'aime la crème glacée, la crème glacée à la vanille.
Pierre adore les tartes, les tartes aux pommes.
...

2 Le [ə] dans un mot. Écoutez le rythme du mot et répétez.
Sortie
Samedi, j'ai appelé Emmeline.
Nous sommes allées nous promener
au boulevard Langevin.
Nous avons mangé des côtelettes et des pommes
de terre.

Des restaurants
pas comme
les autres

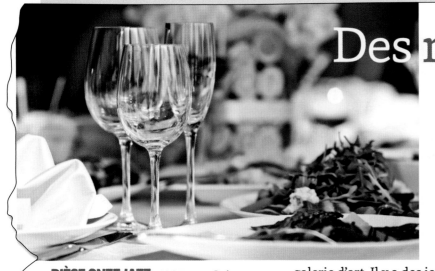

DIÈSE ONZE JAZZ. 4115, rue Saint-Denis, Montréal.

Tous les soirs, ce restaurant accueille les passionnés de jazz d'ici et d'ailleurs. Chaque jour, il y a un ou deux spectacles. À 18 h, soupez dans l'ambiance des années 30 au rythme des guitares. Venez aussi participer aux lundis cubains. En été, vous pouvez manger dehors.

LE CAFÉ PI. 4127, boulevard Saint-Laurent, Montréal.

Après la visite du célèbre quartier du Plateau, allez prendre un bon café biologique dans un décor de galerie d'art. Il y a des jeux d'échecs un peu partout sur les tables. Les clients peuvent jouer dans une ambiance amicale et familiale.

LE NIL BLEU. 3706, rue Saint-Denis, Montréal, métro Sherbrooke.

Le Nil bleu propose une cuisine éthiopienne authentique. Au menu, des plats traditionnels et des plateaux dégustation végétariens, mais aussi une invitation au voyage et à la poésie dans un décor exotique.

AUX ANCIENS CANADIENS. 34, rue Saint-Louis, Québec.

Ce charmant restaurant se situe au cœur de la ville de Québec. Imaginez : vous retournez à l'époque de la Nouvelle-France. Cette maison a plus de 300 ans. Les serveuses sympathiques sont en costume d'époque. Le chef propose des spécialités de la cuisine québécoise dans un décor historique. Entrées à partir de 6,75 $, plats à partir de 17 $.

Ouvert tous les jours à partir de midi.

THÉÂTRE DE LA RUELLE. 6510, rue Viau, Montréal, Métro Viau.

Vous cherchez une façon originale de fêter un anniversaire ou de vous détendre ? Vous vous installez pour manger, les acteurs entrent et le spectacle commence. Rire et bonne humeur sont au menu.

Compréhension des mots nouveaux sans dictionnaire

Lisez le texte ci-dessus. Cherchez à comprendre les mots nouveaux sans utiliser le dictionnaire.
- « **accueille (accueillir)** » : vous connaissez « accueil » (p. 11).
- « **traditionnel** » : vous connaissez « tradition » (p. 29).
- « **chef** » et « **clients** » : réfléchissez : dans un restaurant, il y a le chef et les clients.
- « **amical** » : vous connaissez « ami ».

Continuez avec les autres mots nouveaux.

Choisissez votre restaurant

Travail en petits groupes.

1 Donnez une note de 1 à 10 à chaque restaurant.

2 Présentez à la classe le restaurant le mieux noté par votre groupe.

Créez votre restaurant

Travail en petits groupes.

1 Votre groupe décide d'ouvrir un restaurant original. Imaginez :

a. le lieu   **b.** le décor
c. les spécialités   **d.** l'animation

2 Rédigez une présentation de ce restaurant pour le guide des restaurants pas comme les autres.

Comment mangez-vous ?

Questionnaire sur les habitudes des Canadiens

Le déjeuner à emporter. On prend un café, un muffin ou un bagel.

Le déjeuner

- **À quelle heure ?** ...
- **Où ?** ❑ à la maison ❑ au café
- **Que prenez-vous ?**

  ❑ du café
  ❑ du café au lait
  ❑ du thé
  ❑ du chocolat chaud
  ❑ du jus d'orange

  ❑ des tartines, des rôties ou des toasts
  ❑ de la confiture
  ❑ du beurre
  ❑ des céréales
  ❑ des croissants

  ❑ des muffins ou des bagels
  ❑ des œufs
  ❑ du bacon
  ❑ des saucisses
  ❑ autres ...

Le dîner

- **À quelle heure ?** ...
- **Où ?** ❑ à la maison ❑ au restaurant
  ❑ sur le lieu de travail (à la cantine, à la caféteria)
- **Que prenez-vous ?**

  ❑ une entrée
  ❑ un plat de viande ou de poisson
  ❑ un autre type de plat
  ❑ un dessert

Le souper

- **À quelle heure ?** ...
- **Où ?** ❑ à la maison ❑ au restaurant
- **Que prenez-vous ?**

  ❑ une soupe
  ❑ une autre entrée
  ❑ un plat de viande ou de poisson
  ❑ un autre type de plat
  ❑ un dessert de pâtisserie
  ❑ un dessert de fruit

Cantine scolaire

ÉCOLE DE LA MONTAGNE

Menu du jeudi 10 avril 2014

Entrées	Salade de chou Salade César Soupe aux tomates et au riz Assiette de légumes grillés
Plat principal	Poulet rôti Pâté au saumon Tortellinis à la viande
servi avec	Pommes de terre frites Riz Haricots verts
Desserts	Yogourt Banane Mousse au chocolat

Les repas des Canadiens. Pour midi, on emporte souvent son repas, on a peu de temps. Le soir, on soupe en famille entre 17 h et 20 h. Les Canadiens mangent plus de plats préparés que dans le passé.

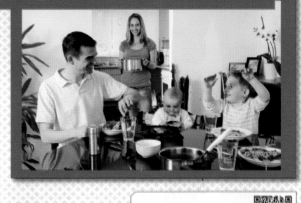

Repas : les habitudes des Canadiens

1 Écoutez. Une journaliste interroge trois personnes. Pour chaque personne, complétez le questionnaire ci-dessus. Complétez le questionnaire pour vous.

2 Faites des remarques sur les habitudes des Canadiens. Comparez avec les habitudes de votre pays et des pays que vous connaissez.

▶ **Document 4**

Les échos d'Écho sur
cle-inter.com/echo

LE FORUM QUESTIONS-RÉPONSES

Posez votre question [   ] **validez**

Accueil › loisirs › enquêtes › questions-réponses

Consultez les autres forums du même type.

→ Quel est votre moment de la journée le plus difficile ?

→ Quel est votre jour de la semaine préféré ?

Questions jusqu'au 31/03

→ **Quel est pour vous le meilleur moment de la journée ?**

50 réponses

Emma

Le meilleur moment est quand je rentre du travail, à pied, parce que je n'habite pas loin. Je regarde les gens, les magasins. Je fais quelques courses. C'est toujours un moment très agréable.

Olivier

C'est quand je me lève le matin. Je prends une douche. Je prends mon premier café. Et là j'ai plein de projets dans la tête.

Laurie

Je n'aime pas le jour. Je préfère la nuit quand je me promène sous les étoiles.

Alexia

Mon meilleur moment, c'est quand je me réveille le matin. Mais le plaisir est court parce que tout de suite après, je me regarde dans la glace !

Sophie

C'est le soir avec mon copain. On prépare le repas. On se raconte la journée. On est bien ensemble.

Rose

Moi, le meilleur moment, c'est quand quelqu'un me dit quelque chose de gentil.

Pierre

Le meilleur moment, c'est quand je me couche devant un bon film.

Le forum questions-réponses

1• Lisez le document. Imaginez qui est chaque participant. (Quel est son âge, son activité, avec qui il vit, etc.)
Relevez les verbes qui se conjuguent avec deux pronoms.
Exemple : je me lève.

2• Répondez à la question du forum.
Dites quel est votre meilleur moment de la journée. Expliquez pourquoi.

Les autres questions du forum

Travail en petits groupes.
1• Le groupe choisit une des deux questions posées sur la page du forum. Chacun donne sa réponse.
2• Quelles questions aimeriez-vous poser sur ce forum ?

Leur journée

Imaginez les emplois du temps des personnes qui sont sur les photos.

Votre journée idéale

Faites l'emploi du temps de votre journée idéale.

Les activités de la journée

le matin

> se réveiller (je me réveille à 7 heures)
> se lever
> se laver – prendre un bain – une douche
> s'habiller
> prendre son déjeuner
> se préparer
> sortir – aller travailler
> dîner
> retourner au travail
> se promener
> faire des courses
> rentrer à la maison
> préparer le souper
> s'occuper des enfants
> se reposer
> souper
> se coucher
> dormir

la nuit

7 Quelle journée !

Les verbes du type « se lever »

1 Observez la conjugaison des verbes du type « se lever ». Faites la liste des verbes de ce type que vous connaissez.

2 Comparez le sens des phrases suivantes.
a. Marie réveille Pierre. / Pierre se réveille.
b. Marie appelle Pierre. / Ce jeune homme s'appelle Pierre.
c. Pierre promène son chien. / Pierre se promène.

3 Mettez les verbes entre parenthèses à la forme qui convient.

Deux femmes parlent de leur emploi du temps.
– Je suis employée dans un cinéma. Alors je (se coucher) tard.
– Et bien sûr, vous (se lever) tôt.
– Non, je ne (se lever) pas avant 9 heures !
– Et qui (s'occuper) des enfants ?
– Mon mari. Mais j'ai de grands enfants. Ils savent (se préparer) tout seuls.
– Mais, alors, avec votre mari, vous (se voir) quand ?
– Je travaille quatre soirs par semaine. Les autres jours, nous (se lever) et nous (se coucher) normalement.

4 Racontez votre journée de dimanche dernier. Utilisez les verbes du tableau de la page précédente.
« Je me suis levé(e) à… »

Ce soir, je me couche tôt.
Demain, je me lève tôt.
Je vais passer un examen.

Tu te réveilles à quelle heure ?

Les verbes du type « se lever »

se lever	s'habiller
je me lève	je m'habille
tu te lèves	tu t'habilles
il/elle se lève	
nous nous levons	
vous vous levez	
ils/elles se lèvent	ils/elles s'habillent

• **Forme négative**
Je ne me réveille pas tôt.
Elle ne se couche pas avant minuit.

• **Question**
À quelle heure est-ce que tu te couches ?

• **Construction « verbe + verbe »**
Je n'aime pas me lever tôt.
Il ne veut pas se coucher tard.

• **Au passé composé (construction avec « être »)**
je me suis levé(e)	nous nous sommes levé(e)s
tu t'es levé(e)	vous vous êtes levé(e)(s)
il/elle s'est levé(e)	ils/elles se sont levé(e)s

Donner des instructions, des conseils

Lève-toi ! C'est l'heure

Robin, prépare-toi Ton examen est à 8 h.

Préparons-nous à partir.

N'oublie pas ta montre !
Dépêche-toi !
Ne t'endors pas !

N'ayez pas peur !
Soyez tranquilles !

1 Observez les différentes façons de donner des ordres. Transformez à l'impératif.
a. Tu dois te lever → lève-toi
b. Tu dois te préparer → …
c. Nous devons être en forme → …
d. Nous devons nous réveiller à 7 h → …
e. Vous ne devez pas vous coucher tard → …

L'impératif

manger		sortir
mange	ne mange pas	sors
mangeons	ne mangeons pas	sortons
mangez	ne mangez pas	sortez
se lever		
lève-toi	ne te lève pas	
levons-nous	ne nous levons pas	
levez-vous	ne vous levez pas	

2 Donnez-leur des conseils. Utilisez les verbes indiqués.

a. Demain, ils vont jouer un match de football.
se coucher tôt – bien manger – ne pas se fatiguer
– se détendre

b. Pierre a un rendez-vous aujourd'hui à 8 h.
se réveiller – se lever – s'habiller – se dépêcher
– ne pas oublier son dossier

c. Après 3 heures de promenade dans la ville.
s'arrêter dans le parc – s'asseoir – se reposer
– manger un sandwich

avoir	
aie du courage	n'aie pas peur
ayons du courage	n'ayons pas peur
ayez du courage	n'ayez pas peur
être	
sois calme	ne sois pas stressé
soyons calme	ne soyons pas stressé
soyez calme	ne soyez pas stressé

Les mots de quantité

Tu oublies quelque chose ?

Non, je n'oublie rien. J'ai pris plusieurs stylos, beaucoup de papier, tous mes cours de bio, deux sandwichs, un peu de café, quelques bonbons et beaucoup de jus d'orange.

1 Classez ce qui est dans le sac de Robin.

choses comptables	choses non comptables
...	...

2 Classez les mots en commençant par les petites quantités.
peu de....

3 Utilisez les mots du tableau pour faire des listes.
a. Marie raconte son voyage à Londres.
J'ai vu beaucoup de « pubs », ... bars, ... cafés avec
des terrasses, ... J'ai mangé ... . J'ai bu ... .
b. Vous avez invité des amis à une soirée.
On doit acheter ... On doit avoir ...

**4 Complétez avec « quelque chose », « ne ... rien »,
« quelqu'un », « ne ... personne ».**

Infidélité
• J'ai ... à te dire. Mais ne raconte cette histoire à ... .
– D'accord.
• Mélissa n'est pas partie seule au stage de Washington.
Elle est partie avec ... .
– Son mari sait ... ?
• Non, il ne sait ... .

L'expression de la quantité

Les choses ne sont pas comptables	Les choses sont comptables
du thé – **de l'**eau 1 **kilo** de sucre Il boit **peu de** café. Je prends **un peu de** lait dans mon thé. Elle a **beaucoup de** temps libre.	**un, deux, trois** livres 1 **kilo** de pommes / 2 **livres** de tomates Elle a **peu de** DVD. J'ai **quelques** DVD. J'ai **plusieurs** CD de Pierre Lapointe. Elle a **beaucoup de** journées libres dans le mois.

Personnes et choses (sans idée de quantité)
• **quelqu'un – personne**
 Tu attends quelqu'un ? – Je n'attends personne.
 Quelqu'un a appelé ? – Personne n'a appelé.
• **quelque chose – rien**
 Tu fais quelque chose ce soir ? – Je ne fais rien.
 Quelque chose t'intéresse ? – Rien ne m'intéresse.

À l'écoute de la grammaire

1 Distinguez la conjugaison pronominale.

conjugaison de type « lever »	conjugaison de type « se lever »
a. Paul lave sa voiture.	...
b. ...	...

**2 Rythme des phrases impératives. Transformez comme
dans l'exemple et répétez la réponse.**
Tu dois te réveiller. → Réveille-toi !
Tu ne dois pas dormir. → Ne ... !
...

La traversée du Québec

3 – Arrivée

 1 Un mardi, à 15 heures, Florence et Samuel arrivent chez Clara et Jérôme.

Jérôme : Bonjour, Florence. Salut, Samuel !

Transcription

 2 Florence et Samuel visitent la maison.

Clara : Nous sommes très contents de vous voir !
Florence : Nous aussi ! Merci pour votre invitation !
Clara : Cette tarte aux bleuets a l'air délicieuse.
Samuel : Nous avons acheté du cidre pour toi, Jérôme. Tu aimes toujours le cidre ?
Jérôme : Ah oui ! Tu me connais bien ! Merci !
Clara : Vous voulez voir notre maison ?
Florence : Bien sûr ! J'adore visiter les maisons.
Clara : Alors, voici le salon. C'est mon endroit préféré.

Jérôme : Venez. On continue. Là-bas, c'est la cuisine… Là, les toilettes et ici, l'année prochaine, on va faire les chambres !
Florence : Ça veut dire que vous n'avez pas de chambres ?
Jérôme : On a deux tentes dans le jardin. Une pour nous, une pour les amis !
Florence : Samuel, on va dormir dans une tente. C'est super !

3 Dans l'après-midi, Clara et Florence vont acheter des produits de la région dans une ferme.

Le fermier : Une minute, madame Leblanc, je suis à vous.
Clara : Je voudrais 5 kilos de miel.
Le fermier : Ah ! Madame Leblanc va faire ses confitures.
Clara : Vous savez tout, monsieur Gauthier.
Florence : Tu fais de la confiture de quoi ?
Clara : De fraises au miel.
Florence : Ah bon.

Transcription

4 En fin d'après-midi. /////////////////////////////////////

Clara : On passe à table ?

Florence : Là ? Maintenant ? Il est six heures et demie.

Clara : On n'a pas la télé. Alors on se couche tôt.

Jérôme : Mais on se lève tôt. Moi, tous les matins, je me lève à 6 heures.

Samuel : Et qu'est-ce que tu fais à 6 heures ?

Jérôme : Une grande balade. Puis je fais des rénovations à la maison.

Clara : Résultat ? Vous voyez, on a la forme.

Jérôme : Vous êtes d'accord pour une grande randonnée, demain ?

Samuel : Pourquoi pas ? C'est une bonne idée !

Florence : À quelle heure ?

Jérôme : À 7 heures. Parce que c'est vous !

5 La nuit dans la tente. /////////////////////////////////////

Florence : Samuel, écoute !

Samuel : Qu'est-ce qu'il y a ?

Florence : J'entends quelque chose.

Samuel : Moi, je n'entends rien. Et Fido ne bouge pas !

Florence : J'entends un bruit bizarre. C'est peut-être un caribou ?

Samuel : Il n'y a pas de caribous ici.

Florence : Alors, c'est quoi, ce bruit ?

Samuel : Je ne sais pas. Quelqu'un. Peut-être Jérôme ou Clara ou un voisin.

Florence : Je vais voir.

…

Samuel : Alors ?

Florence : Il n'y a personne.

Compréhension et simulations

1 SCÈNE 1. Transcrivez le dialogue.

2 SCÈNE 2. Écoutez la scène.

Expliquez pourquoi Florence et Samuel sont surpris à la fin de la visite.

3 SCÈNE 3. Transcrivez la fin de la scène. Complétez ce résumé de la scène.

Clara va dans … avec … .

C'est chez … .

Elle achète … pour … .

Elle achète aussi … .

Ça coûte en tout … .

Elle paie avec … .

4 SCÈNE 4. Écoutez la scène. Notez les différences de rythmes de vie entre les deux familles.

Imaginez d'autres différences.

5 SCÈNE 5. Écoutez la scène. Imaginez.

Le matin, Florence raconte sa nuit à Clara.

« Hier, on s'est couché et à minuit… »

6 Préparez et jouez une scène.

a. Vous allez passer la fin de semaine chez des amis. Ils vous présentent le programme de la fin de semaine (d'après la scène 4, à faire à quatre).

b. Avec un(e) collègue, vous êtes resté(e)s au bureau pour finir un travail. Vous entendez un bruit bizarre (d'après la scène 5, à faire à deux).

Sons, rythmes, intonations

Rythme et intonation dans la conjugaison pronominale

Décalage horaire

Je me lève tôt. Tu te lèves tard.

Je me couche tôt. Tu te couches tard.

Quand je me dépêche, tu te détends.

Quand tu te reposes, je fais du sport.

Mais on s'adore, on se comprend.

Nous nous appelons régulièrement

Pour nous dire nos emplois du temps.

Tout est GRATUIT... ou presque

MUSÉES

À Montréal, tous les musées sont gratuits le quatrième dimanche de mai. Le Musée des beaux-arts de Montréal offre l'entrée gratuite pour la majorité de ses collections tous les jours pour les visiteurs de moins de 30 ans.

JOURNÉE DES PARCS DU CANADA

C'est le troisième samedi de juillet. Les activités sont organisées dans

les parcs nationaux, les lieux historiques nationaux, les parcs provinciaux, partout au Canada et l'entrée est gratuite.

CINÉMA

Le mardi au Canada, c'est la soirée cinéma ! Plusieurs salles offrent des prix réduits, alors si vous voulez aller voir un film, profitez-en : le mardi, ce n'est pas cher !

MUSIQUE

Il y a beaucoup de concerts gratuits au Canada. Vous pouvez assister aux spectacles du Festival de Jazz de Montréal et de Vancouver, aux festivals de musique gratuits à Hamilton et à Burlington, en Ontario, aux Tam-tams du mont Royal. Les Francofolies de Montréal offrent plus de 180 spectacles gratuits, avec des artistes francophones qui viennent de plus de 12 pays.

BIBLIOTHÈQUES

Dans toutes les villes du Canada, on trouve des bibliothèques publiques. La Grande Bibliothèque à Montréal est un lieu de rendez-vous culturel qui permet un accès libre et gratuit à plus de 4 millions de documents. On y trouve un million de livres.

SPORT

Les séances de bain libre dans plusieurs piscines municipales sont gratuites. Des terrains de soccer, des pistes cyclables dans de nombreux parcs sont disponibles pour les amateurs du ballon, du vélo et du patin à roues alignées.

JOURNAUX

À Montréal, à Toronto et dans d'autres grandes villes, on trouve des journaux gratuits : *Métro*, *24 Heures*, etc.

Compréhension du texte

1 **Lisez le texte ci-dessus. Classez les activités gratuites**

a. C'est toujours gratuit.	
b. C'est gratuit une fois par année.	
c. Ce n'est pas gratuit mais moins cher que d'habitude.	

2 **Un ami vous pose ces questions. Répondez et précisez. Est-ce que c'est vrai ?**
a. Chaque mardi, je vais au cinéma parce que c'est moins cher.
b. La Grande Bibliothèque est très bien mais il n'y a pas beaucoup de livres.
c. Le parc national d'Oka est ouvert toute l'année. On peut le visiter un dimanche en juillet gratuitement.
d. L'été dernier, j'ai assisté à plusieurs spectacles des Francofolies en plein air. Je n'ai rien payé.

Un document « c'est gratuit » pour votre pays

À faire seul ou en petits groupes.
Rédigez un document « Ici, c'est gratuit » pour les touristes francophones de votre ville ou de votre pays.
Partagez-vous le travail (musées, fêtes, spéctacles, etc.).

▶ **Document 5**

ACHETER

Le dollar est la monnaie du Canada
Pour une somme de moins de 5 $, on paie presque toujours en espèces.
Pour une somme de plus de 20 $, on paie souvent par carte de débit ou carte de crédit.
Les Canadiens utilisent rarement les chèques.

3

2

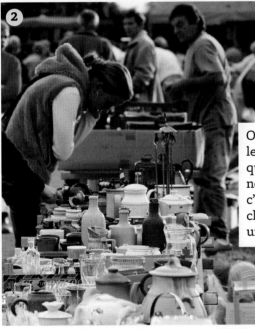

On peut discuter le prix d'un objet quand il n'est pas neuf ou quand c'est un objet très cher (une voiture, un appartement).

Au Canada, quand on va au restaurant ou au café, on paie les taxes et on donne le pourboire.

POUR ACHETER, POUR PAYER

- **Demander un prix**
  Quel est le prix de ce téléphone cellulaire ?
  Coûter → Combien ça coûte ? – Combien ça fait ? – Combien coûte ce livre ?
  Il coûte 15,30 $ (quinze dollars trente sous).
  Il fait 15,30 $ (quinze dollars trente).

- **Demander un rabais**
  Vous offrez des rabais pour les étudiants ?
  Vous pouvez accorder un petit rabais ?

- **Demander un total**
  Je voudrais l'addition (restaurant), la note (hôtel), un reçu (taxi), un ticket de caisse, une facture (magasin).

- **Devoir.** Je vous dois combien ?

- **Payer**
  → en espèces – un billet de 20 $ – une pièce de 1 $
  avoir la monnaie – rendre la monnaie
  → par carte de crédit – taper le code (NIP)

- **Changer**
  Je voudrais changer 200 euros en dollars.

- **Avoir de l'argent**
  Il a beaucoup d'argent.

Savoir acheter

1 Observez les photos ci-dessus. Lisez et commentez les informations.

2 🎧 Écoutez le début des quatre scènes ci-dessus. Associez chaque phrase à une photo.

3 Imaginez et écrivez le dialogue de chaque situation.

4 🎧 Écoutez les scènes complètes. Comparez avec vos productions.

5 🎧 Écoutez et trouvez la situation...

a. à l'entrée d'un cinéma
b. chez un vendeur de téléphones
c. au bureau de change
d. à l'entrée d'un musée
e. à la gare
f. dans un taxi

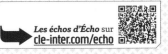

Les échos d'Écho sur
cle-inter.com/echo

DOMUS Immobilier

trouve votre logement au Canada

Nos curiosités

COMPLÉTEZ LE FORMULAIRE

Vous souhaitez ❏ acheter **Vous voulez habiter** ❏ en ville
❏ louer ❏ en banlieue
❏ à la campagne

Précisez votre région : ...
votre ville : ...

Vous cherchez ❏ un appartement / un condo
Nombre de pièces : ❏ studio / 1 ½ ❏ 2½ ❏ 3 ½
❏ 4½ ❏ 5½ et plus
À quel étage ? ... ❏ avec ascenseur ?

❏ une maison
Le salon et la salle à manger ❏ une pièce
❏ deux pièces
Nombre de chambres ... de salles de bains ...
de toilettes ...
Souhaitez-vous ❏ un bureau ❏ un sous-sol

Vous préférez un logement
❏ près des commerces ❏ ensoleillé ❏ avec vue ❏ près d'un parc
❏ près des transports en commun ❏ près des écoles
❏ au calme
❏ avec jardin ❏ avec stationnement/ garage ❏ avec piscine
❏ ancien ❏ neuf ❏ chauffé ❏ électricité incluse

Vous souhaitez un logement :
❏ vide ❏ meublé ❏ semi-meublé (cuisine équipée)

RÉSERVEZ VOTRE MAISON

LES VILLAS DU PARC

À VENDRE

NOS OFFRES EN VILLE

Très bien située, derrière la gare, en face du parc du Mont-Laurier, très belle maison des années 2000, de 3500 pieds carrés (325 m^2), avec deux garages, terrain et jardin. Soleil, calme, vue.   450 000 $

Entre la gare et l'école Marie-Victorin, en face de la bibliothèque Émile-Nelligan, sur une belle avenue, appartement 4½ de 850 pieds carrés (80 m^2), au 3e étage d'un bel immeuble moderne. 2 chambres.

250 000 $

Dans le centre-ville, à côté de la cathédrale, sur une place ensoleillée, joli studio au 3e étage d'un immeuble calme.

115 000 $

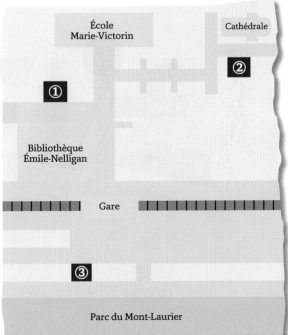

Complétez le formulaire

Travail individuel ou en petits groupes.

1• Complétez le formulaire avec l'aide du professeur.

Si vous travaillez en groupes, mettez-vous d'accord sur vos préférences.

2• Donnez d'autres détails sur le logement que vous cherchez.

Écoutez l'agent immobilier

1• Observez la publicité pour les villas du parc.

2• Écoutez. Un employé de Domus immobilier organise une visite de la maison.

Notez sur le plan le nom des pièces de la maison.

Étudiez les petites annonces

1• Situez chaque annonce sur le plan.

2• Donnez votre avis sur chaque logement.

Présentez votre logement idéal

Travail individuel ou en petits groupes.

1• Notez les caractéristiques de votre logement idéal.

2• Faites son plan.

3• Présentez-le à la classe.

Pour parler d'un logement

- **Les logements**
  un appartement (un studio, un deux et demie, un trois et demie) – une maison – un chalet – un immeuble de trois étages – le premier étage – le deuxième étage – un ascenseur – un escalier
- **Les pièces**
  une cuisine – une salle à manger – un salon – une chambre – une salle de bains – les toilettes – l'entrée – le couloir – le garage – le sous-sol – le terrain
- **Les caractéristiques**
  un appartement ancien / moderne / neuf – ensoleillé – calme
- **Louer – acheter – vendre**
  Il loue un trois et demie à Mascouche 700 $ par mois.
  Cet appartement est à vendre. Elle voudrait acheter un condo.

École Marie-Victorin

Cathédrale

② ①

Bibliothèque Émile-Nelligan

Gare

③

Parc du Mont-Laurier

Situer – S'orienter

Mairie

> Pour avoir le formulaire 2042 bis, il faut aller aux services techniques. L'immeuble des services techniques est **sur** la place René-Lévesque, **en face** du cégep Montmorency, **devant** le supermarché, **entre** un cinéma et la bibliothèque ; **à côté** du cinéma, il y a une pizzeria, **au milieu** de la place, il y a une statue.

Services techniques

> Vous allez trouver le formulaire 2042 bis au bureau 372. Prenez l'ascenseur. Quand vous sortez de l'ascenseur, **tournez à droite**. **Continuez jusqu'à** la cafétéria. **Traversez** la cafétéria. Prenez le couloir **à gauche**. **Faites 20 m**. Le bureau 372, c'est **la troisième** porte **à droite**.

Pour situer – Pour s'orienter

- **Situations**

  A est devant B
  D est derrière C
  B est entre A et C
  B est à côté de C

  A est sur la table
  D est sous la table
  C est au bord de la table
  B est au milieu de la table

  A est en haut – B est en bas

  B est ici – C est là – D est là-bas

- **Directions**

  ↑ tout droit   ↕ en avant
  ↰ à gauche   ↓ en arrière
  ↱ à droite

  nord
  ouest ✳ est
  sud

- **Mouvements**

  aller tout droit   continuer
  tourner   traverser
  faire 100 mètres (100 m), 1 kilomètre (1 km)

- **Ordre**

  A B C D E

  A est premier – B est deuxième – C est troisième – D est quatrième – E est dernier

1 Lisez la BD ci-dessus.
a. Faites un dessin pour situer les services techniques.
b. Dessinez l'itinéraire pour trouver le bureau 372.

2 Situez (utiliser le vocabulaire du tableau) :
– votre école
– votre logement

3 Observez la carte ci-contre. Complétez l'itinéraire pour aller à l'hôtel Le Château.
Rendez-vous à 9 h pour la randonnée en Montérégie.
Voici l'itinéraire.
Quand vous venez de Sorel-Tracy, prenez…

4 🌐 Comment aller de la gare jusque chez Marie ? Dessinez l'itinéraire.

Décrire un trajet

> J'ai le formulaire 2042 bis. Je suis parti ce matin à 8 h. Je suis arrivé … J'ai attendu …. Je suis resté … Je suis reparti pour … Je suis sorti … Je suis rentré à la maison !

1 Complétez avec « aller » ou « venir ».

• Pendant la semaine de relâche, je … à Whistler faire du ski. Tu veux … avec moi ?

– Je ne peux pas. Je … en Jamaïque avec Marie. Mais l'été prochain, je voudrais … chez toi, dans ta maison de campagne. Tu es d'accord ?

• Bien sûr. Tu … quand ? En juillet ou en août ?

2 Complétez avec un verbe du tableau.

La directrice d'une boutique de vêtements de Montréal parle de son programme.

• Lundi, à 6 h, je … pour Toronto en avion.
J'… dans le centre de Toronto à 9 h. J'ai une réunion à 10 h. Je … à Montréal dans l'après-midi et le soir, je … pour New York.

– Tu … quand à Montréal ?

• Le 14.

– Et après, les voyages, c'est fini ?

• Non, je … à New York à la fin du mois.

Partir – arriver – etc.

aller / venir

partir ⟶ arriver… rester…

retourner / revenir

rentrer ⟵ repartir

entrer ⟶

sortir ⟵

• **Au présent**

partir : je pars, nous partons, ils/elles partent

sortir : je sors, nous sortons, ils/elles sortent

• **Au passé composé**

Tous ces verbes se construisent avec « être ».
Elle est partie – Elle est restée – Elle est repartie…

Exprimer un besoin

> Je suis fatigué. J'ai chaud. J'ai soif. J'ai mal aux pieds. J'ai sommeil.

1 Exprimez leur état physique ou leur besoin.

a. Il n'a rien mangé. → Il a faim.
b. Elle a fait 20 km à pied. → …
c. Il a bu trop de whisky. → …
d. Il est au pôle Nord. → …
e. Il fait très chaud. → …

Exprimer un besoin

• **Il faut**

Il faut s'arrêter. Vous êtes fatigués.
Pour traduire ce texte, il faut un dictionnaire.

• **Devoir**

Vous devez vous reposer.

• **Avoir besoin (de)**

Elle a sommeil. Elle a besoin de dormir.
Pour mettre vos affaires, vous avez besoin d'un sac.
J'ai besoin d'aide.

À l'écoute de la grammaire

1 Distinguez [s] et [z].

Ce soir à la maison
Nous avons des amis
Nous savons qu'ils arrivent à dix heures.
Ils ont faim. Ils sont fatigués.
Vous avez une montre ?
Vous savez quelle heure il est ?

2 Notez l'adjectif masculin ou féminin.

finales	masculin	féminin
[t]		
[l]		
[k]		
[e] → [ɛʀ]		

8

Qu'on est bien ici !

La traversée du Québec

4 – Grosse fatigue

 1 Florence et Samuel ont passé leur première nuit à Percé. Le matin.

Jérôme : Alors, en forme ? Vous avez bien dormi dans la tente ?
Samuel : Comme dans un cinq étoiles !
Clara : Allez, venez boire le café ! Asseyez-vous !

 2 Sur la route, vers le départ de la randonnée.

Un policier : Vous ne pouvez pas passer.
Clara : Et pourquoi ?
Un policier : Il y a une manifestation de l'APPC.
Florence : C'est quoi l'APPC ?
Clara : L'Association pour la protection des caribous.
Florence : Ah, tu vois, Samuel, il y a des caribous dans la région.
Clara : On va prendre la rue de l'Église.
Un policier : C'est interdit aussi. Il y a un festival de musique.
Samuel : C'est toujours comme ça chez vous ?

 3 Dans la montagne en fin d'après midi.

Clara : Il faut prendre à droite.
Jérôme : À gauche, le chemin est plus large.
Clara : Mais il va vers l'ouest ! Nous, on doit aller à l'ouest.
Samuel : Elle a raison. Percé est à l'est.
Jérôme : Florence ! À ton avis ?
Florence : Écoutez. Vous connaissez la région. Vous décidez. Moi, j'ai mal aux pieds, j'ai chaud, j'ai soif, j'ai faim, je suis fatiguée ! J'ai envie de rentrer !

4 Le matin suivant.

Clara : Florence, j'ai besoin d'aide.
Florence : Pour quoi faire ?

 Transcription

 5 Au même moment.

Samuel : Alors, pas de randonnée, aujourd'hui ?
Jérôme : Non, j'installe la fenêtre.
Samuel : Pas de problème. Fais ton travail. Moi, je vais lire sous les arbres.
Jérôme : C'est que... j'ai besoin de ton aide !
...

 6 Le soir.

Florence : Samuel, il faut partir d'ici !
Samuel : Je suis d'accord. Je ne peux pas continuer à ce rythme !
Florence : Dis à Jérôme que tu as mal au dos.
Samuel : Je suis sûr que Clara a un produit pour le mal de dos.
Florence : J'ai une idée. Demandons à Rosalie d'appeler au secours.

Compréhension et simulations

1 SCÈNE 1. Imaginez d'autres réponses à la question de Jérôme.

2 SCÈNE 2. Écoutez. Présentez le problème.

3 Imaginez et jouez une scène avec une des phrases suivantes :
a. On ne peut pas entrer. C'est interdit.
b. Interdit de rentrer après minuit.
c. À droite, c'est interdit.

4 SCÈNE 3. Écoutez. Notez l'opinion de chaque personne.
Clara pense qu'il faut ...
Jérôme ...

5 Imaginez et jouez une scène d'après la scène 3.
a. Vous visitez Montréal avec des amis. Vous êtes perdus.
(à faire à trois)
b. Vous êtes invités chez des amis. Vous ne trouvez pas l'immeuble. (à faire à deux)

6 SCÈNE 4. Transcrivez la scène.

7 SCÈNE 5. Imaginez d'autres situations où Clara et Jérôme demandent l'aide de leurs amis.

8 SCÈNE 6. Imaginez la fin de l'histoire.

Pour parler d'un état physique

être en forme / être fatigué – être malade
avoir faim – avoir soif – avoir chaud – avoir froid –
avoir sommeil – avoir mal (à la tête, aux pieds, etc.)

🎵 Sons, rythmes, intonations

1. Différenciez [a] et [ɑ̃].
Tanguy
Ah, entre, Valérie !
Tu es en avance.
Voici mon appartement,
Ma salle à manger,
Ma chambre et mon chat.
Ma maman est au restaurant,
Nous allons boire à sa santé !

2. Prononcez [ʒ].
Association d'idées
Bouger... voyager... étranger...
Argentine... argent... jouer...
Partager... projet... génial !

Supprimer Indésirable Répondre Rép. à tous Réexpédier Imprimer

De : Marine Ferrand
À : Aurélie Robert
Objet : nouvelle adresse
date : 10 mai 2014

Bonjour Aurélie
Excuse mon silence. J'ai bien eu ton message à Noël mais j'ai été très occupée cette année. Tu vas être surprise. Toulouse, c'est fini. J'habite maintenant à Montréal, au Canada !
En octobre dernier, j'ai eu un poste chez *Ubisoft* et Pierre a tout de suite trouvé du travail dans une entreprise d'aéronautique.
Montréal est une ville très agréable, assez grande, avec pas mal de choses intéressantes à faire. Il pleut plus qu'à Toulouse, mais pas très souvent. L'hiver a été très froid, il a beaucoup, beaucoup neigé, mais le printemps est magnifique.
Nous avons trouvé un appartement dans le Quartier latin, le quartier le plus dynamique de Montréal, dans l'arrondissement de Ville-Marie. C'est près des commerces et du Vieux-Port. Tous les soirs, je peux aller faire du jogging ou du vélo le long du fleuve ou dans les parcs. En hiver, nous avons patiné et Pierre a commencé le hockey.
Au travail, l'ambiance est très sympathique. On a vite trouvé des amis.
Autre surprise. Il y a ici beaucoup de spectacles et de festivals de musique. J'ai eu envie de recommencer la guitare.
Résultat : tout va bien. Je suis contente du changement.
J'attends de tes nouvelles.

Bises.
Marine

Compréhension du message

1 Lisez le message.
Qui écrit ?   À qui ?   D'où ?   Pourquoi ?

2 En petits groupes, recherchez les informations données sur...
a. le travail   **d.** le logement   **g.** les relations entre
b. la ville   **e.** les activités   Marine et Aurélie
c. le quartier   **f.** le temps

3 Que pensez-vous de ces affirmations ?
a. Aurélie et Marine sont de bonnes amies.
b. Marine est une fille dynamique.
c. Marine est canadienne.
d. Marine et Pierre s'aiment.
e. Marine n'a pas d'enfants.

Écrivez un message ou une carte postale de vacances

Parlez...
– de l'endroit où vous êtes – du temps – de vos activités
– de vos rencontres.

CADRES DE VIE

• Le temps au Canada

Dans le Sud de l'Ontario et du Québec, les étés sont chauds et humides et les hivers sont froids. Sur la côte pacifique, le temps est plus doux. Il pleut souvent mais il y a de très beaux printemps. L'hiver est très humide, mais il ne neige pas. Dans les Prairies (le Manitoba, la Saskatchewan, l'Est de l'Alberta), les hivers sont très froids et en été, il fait très chaud. Dans les Rocheuses, les hivers sont très froids. Dans les provinces atlantiques, les hivers sont froids et humides, et les étés sont doux.
L'été et l'automne sont les saisons les plus agréables.

• Villes, banlieues ou régions

Quatre Canadiens sur cinq habitent en ville ou dans une agglomération. Les jeunes aiment beaucoup vivre au centre-ville, mais les familles qui ont des enfants préfèrent souvent acheter une maison et vivre en banlieue.
Aujourd'hui, avec l'ordinateur, certains peuvent travailler pour une entreprise située dans une grande ville et vivre dans les régions.

• Partir ou rester

Pour trouver du travail ou étudier, il faut bouger.
Beaucoup de jeunes doivent quitter les régions éloignées pour faire des études ou travailler dans les grandes villes ou les autres provinces. Mais les plus de 40 ans n'aiment pas partir. Ils ont acheté un condo ou une maison. Ils ont des amis. Ils n'ont pas envie de repartir de zéro.
Les Canadiens sont très attachés à leur logement. 70 % sont propriétaires. 55 % habitent dans une maison individuelle.

Les grandes villes du Canada et du Québec

(entre parenthèses : population de l'agglomération)

Canada	Québec
Toronto (Ont.) : 2 240 000 (**Grand Toronto :** 5 500 000)	**Montréal :** 1 650 000 (3 800 000)
Montréal (Qc) 1 650 000 (3 800 000)	**Québec :** 516 000 (765 000)
Calgary (Alb.) 1 096 000 (1 215 000)	**Laval :** 401 000 (Montréal)
Ottawa (Ont.) : 901 000 (1 236 000)	**Gatineau :** 265 000 (315 000)
Edmonton (Alb.) : 812 000 (1 160 000)	**Longueuil :** 231 000 (Montréal)
Mississauga (Ont.) : 713 000 (Toronto)	**Sherbrooke :** 154 000 (202 000)
Winnipeg (Man.) : 663 000 (730 000)	**Saguenay :** 146 000 (158 000)
Vancouver (C.-B.): 603 000 (2 313 000)	**Lévis :** 139 000 (Québec)
	Trois-Rivières : 132 000 (151 000)
	Terrebonne : 106 000 (Montréal)

↘ Notre enquête

Les bons et les mauvais côtés du télétravail

Denis est dessinateur. Il travaille pour des éditeurs montréalais. Il est installé dans un village de la Mauricie (au Nord-Est de Montréal).

Le temps au Canada

1 **Lisez l'information sur le temps.**
Situez chaque région sur la carte de la p. 144.

2 **Quel temps fait-il...**
– à Calgary en hiver ?
– à Montréal en été ?
– à Vancouver au printemps ?
– à Saskatoon en été ?

Les cadres de vie préférés des Canadiens

Lisez les autres informations. Comparez avec les préférences des habitants de votre pays.

L'interview de Denis

🌐 **Écoutez cette interview. Faites la liste des bons et des mauvais côtés de la situation.**

Pour parler du temps

• **Les saisons**
le printemps – l'été – l'automne – l'hiver
• **Le beau temps**
Il fait beau – Il fait chaud – Il fait bon
• **Le mauvais temps**
la pluie – Il pleut (Hier, il a plu – Demain, il va pleuvoir)
la neige – Il neige (Hier, il a neigé – Demain, il va neiger)
Il y a de la glace.

▶ **Document 7**

Les échos d'Écho sur cle-inter.com/echo

Évaluez-vous

1 Vous êtes prêt (prête) à faire un voyage au Canada ou dans un pays francophone.

Que dites-vous dans les situations suivantes ?

a. Vous achetez un billet de train.
b. Vous réservez un vol Montréal-Calgary.
c. Vous ne pouvez pas prendre ce vol.
d. Vous prenez un taxi à l'aéroport.
e. Vous payez le taxi.

f. Vous arrivez à votre hôtel.
g. À l'hôtel, vous ne trouvez pas votre passeport.
h. Vous êtes perdu(e) dans la ville.
i. Vous n'avez plus de dollars.
j. Vous quittez votre hôtel.

Corrigez ensemble. Notez-vous.

.../10

2 Vous comprenez des informations au cours d'un voyage.

Trouvez où on peut entendre ces informations. Transcrivez-les brièvement. Corrigez ensemble. Notez un point par phrase comprise.

a. À la gare ...
b. Dans un train ...
c. À l'aéroport ...
d. Dans un avion ...

e. Dans le métro ...
f. Dans un musée ...
g. Dans un hôtel ...
h. Dans un restaurant ...

i. Dans un magasin ...
j. À la radio ...

.../10

3 Vous comprenez un menu de restaurant.

Dans le menu suivant, trouvez des mots pour chaque catégorie. Corrigez. Comptez 0,5 point par mot correctement classé.
a. Viandes : ...
e. Produits laitiers : ...

b. Charcuteries : ...
f. Pâtisseries : ...

c. Légumes : ...
g. Boissons : ...

d. Fruits : ...

.../10

RESTAURANT L'Assiette

∼ Entrées ∼
Saucisson de Bologne
Salade verte et tomates
Concombre au yogourt
Tarte aux poireaux
Cantaloup et jambon

Table d'hôte   30 $
Une entrée + un plat   20 $
Un plat + un dessert   20 $
Boisson non comprise

∼ Plat principal ∼
Poulet aux champignons
Côte de porc
Rôti de bœuf
Saumon du Pacifique

∼ Accompagnement ∼
Haricots verts
Purée de pommes de terre
Riz basmati

∼ Pour finir ∼
Fromage d'Oka
Mousse au chocolat
Tarte aux fraises
Crème caramel

∼ Boissons ∼
Eaux minérales
Vins blanc, rosé, rouge
Bières

4 **Vous pouvez commander un repas.**

Vous allez déjeuner au restaurant « L'Assiette » avec un(e) ami(e). Quelles phrases dites-vous dans les situations suivantes ? (Vous pouvez aussi jouer la scène avec votre voisin(e).)

a. Arriver. Choisir votre place
b. Commander l'entrée
c. Demander une explication sur un plat
d. Commander un plat et un dessert
e. Goûter le vin et donner votre avis

f. Répondre à la serveuse qui vous demande si « tout va bien »
g. Demander un café
h. Demander l'addition
i. Remarquer une erreur sur la note
j. Payer

Décidez ensemble d'une note.

.../10

5 **Vous comprenez un itinéraire.**

 Observez le plan du métro de Montréal (p. 146).

Pierre est à la station de métro Papineau.
Un Montréalais lui donne des explications.

Suivez l'itinéraire de Pierre et trouvez sa destination. Corrigez.
Comptez deux points par instruction comprise.

.../10

6 **Vous pouvez décrire un itinéraire.**

Observez le plan ci-contre. Vous logez à l'hôtel H, rue Sainte-Hélène. Une amie doit venir vous voir. Elle doit prendre le métro, arriver à la station Place-D'Armes et prendre la sortie de l'avenue Viger.

Envoyez un message à cette amie pour expliquer comment aller jusqu'à votre hôtel. Corrigez et notez-vous.

.../10

7 **Vous comprenez un emploi du temps.**

 Écoutez. Pour le 24 juin, les étudiants étrangers d'une école de langue de Saguenay font une excursion à Québec.
Notez le programme de la journée sur l'agenda.
(Noms de lieux : le Parc national de la Jacques-Cartier, le Parc national de la Chute-Montmorency)

.../10

Samedi 24 juin
8 –
9 –
10 –
11 –
12 –
13 –
14 –
15 –
16 –
17 –
18 –
19 –
20 –
21 –
22 –
23 –
24 –

Vous comprenez des informations sur un lieu de voyage.

Découverte de la Belgique

Carrefour de l'Europe, la Belgique a toujours été le lieu de rencontre des gens et des cultures. Elle propose aux touristes des paysages variés et des découvertes historiques, culturelles et artistiques.
Au nord, ce sont les Flandres, où on parle flamand. « Le plat pays » cher à Jacques Brel et le charme des bords de mer invitent à de tranquilles promenades à vélo.
Au sud, c'est la Wallonie francophone, les petits villages, les vieilles abbayes et la forêt des Ardennes, idéale pour les randonnées et le kayak.
Et partout, des villes d'art et d'histoire : Bruxelles, Bruges, Gand, Liège… avec leurs places, leurs belles maisons du XVIᵉ siècle, leurs églises et leurs riches musées où l'on peut admirer les tableaux de Breughel et de Rubens.
Enfin, la Belgique est aussi célèbre pour son art de vivre, l'accueil de ses habitants, sa bonne cuisine et ses excellentes bières.

- Formule circuit organisé : **2 100 $** du 2 au 16 avril
- Formule liberté : **1 600 $** 2 semaines en avril ou mai

Dans le document ci-dessus, trouvez les informations qui peuvent intéresser les touristes suivants :

a. Je ne veux pas voyager avec d'autres touristes.
b. Je veux le voyage le moins cher.
c. Je veux faire du sport.
d. Je m'intéresse à l'histoire.
e. Je veux faire des photos pittoresques.
f. Je suis un passionné d'art.
g. Je veux rencontrer des Belges.
h. Je veux faire de bons petits repas.
i. Je veux parler français avec les gens.
j. Les monuments ne m'intéressent pas.

Corrigez. Comptez un point par réponse juste.

.../10

9 **Vous pouvez écrire une carte postale.**

Vous faites le voyage en Belgique (voir ci-dessus). **Vous écrivez une carte postale à des amis.**
Racontez vos visites, vos activités, vos rencontres. Parlez du temps qu'il fait.
N'oubliez pas les formules de début et de la fin.
Lisez votre carte à la classe. Décidez ensemble d'une note.

.../10

 Vous pouvez décrire votre lieu d'habitation.

À LOUER
Centre-ville.
Appartement de 700 pieds carrés (65 m²)
(deux pièces + cuisine)
5ᵉ étage – asc.
Clair – Vue sur jardin privé

Vous avez changé de domicile et vous avez loué l'appartement ci-contre.
Vous envoyez un message à un(e) ami(e) et vous décrivez en quelques phrases :

– la ville ou le village
– l'immeuble et les voisins
– le quartier et la rue
– l'appartement

.../10

11 **Vous connaissez les conditions de voyage au Canada.**

Dites si les phrases suivantes sont vraies (V) ou fausses (F).
a. Il y a trois lignes de métro à Montréal. ...
b. Il y a un aéroport à Edmonton. ...
c. Les Canadiens prennent le souper en famille. ...
d. On laisse un pourboire au restaurant. ...
e. À partir de 20 $, les Canadiens paient souvent par chèque. ...

f. On peut discuter le prix d'une voiture. ...
g. Dans les restaurants, le service est compris. ...
h. Il y a beaucoup de neige en hiver en Colombie-Britannique. ...

i. Les étés sont chauds et humides au Québec. ...
j. Calgary et Toronto ont plus de 1 million d'habitants. ...

...../10

 Vous utilisez correctement le français. ...../40

a. La forme des verbes au présent. Mettez les verbes entre parenthèses à la forme qui convient.
• Tu (*prendre*) un croissant ?
– Non, merci. Je (*faire*) un régime. Et Marie aussi. Nous ne (*manger*) plus de pâtisseries et nous ne (*boire*) plus de boissons sucrées. Le soir, nous (*faire*) un dîner léger. Puis je (*sortir*), je (*se promener*) en ville et je (*se coucher*) tôt. Dans la journée, j'(*attendre*) l'heure des repas pour manger.
• Et vous (*perdre*) du poids ?
– Nous avons commencé le régime hier.

Notez sur ...../10

b. Les articles définis, indéfinis, partitifs. Complétez avec l'article qui convient.

Phrases prononcées au cours d'un repas
• Vous voulez ... verre de vin ou vous prenez ... eau ?
• J'ai préparé ... rôti de bœuf. Vous n'êtes pas végétarien ? Vous mangez ... bœuf ? Vous aimez ... bœuf ?
• On écoute ... musique ? J'ai ... très bon enregistrement du boléro de Ravel.
• Patrick fait ... théâtre. Il prépare ... pièce de Molière. J'adore ... pièces de Molière.

Notez sur ...../10

c. Les formes possessives. Complétez avec un adjectif possessif ou la forme « à + moi, toi, etc. ».

(Dans certains cas, plusieurs formes sont possibles.)
Pierre montre une photo à un ami.
« Regarde cette photo, c'est ... maison de campagne. Là, ce sont ... enfants et ici, c'est ... chien.
– Tu loues cette maison ou elle est ... ?

– Elle est à Marie et ... . Nous l'avons achetée ensemble.
– Et vous allez souvent dans ... maison de campagne ?
– Tous les week-ends. Marie est née dans le village. Elle retrouve ... famille et ... amies. Et les enfants adorent. Ils ont ... vélo, ... jeux.
– Ils ont quel âge, ... enfants ?
– 13 ans et 15 ans. »

Notez sur ...../10

d. Les réponses à des questions. Léa est d'accord avec Luc. Kim n'est pas d'accord. Répondez pour eux (oui, non, si, moi aussi, etc.).

Luc : Je n'ai pas envie de travailler.
Léa : Moi ...
Kim : Moi ...
Luc : J'ai envie d'aller à la piscine.
Léa : ...
Kim : ...
Luc : Tu es sûre ? Tu ne viens pas ?
Kim : ...

Notez sur ...../5

e. Les phrases négatives. Clémence est allée à une soirée. Un ami lui pose des questions. Continuez les réponses.

• Alexandre est venu ? – Non, il ...
• Tu as dansé avec François ? – Non, je ...
• Vous avez bien mangé ? – Non, nous ...
• Luc et Marie ont joué de la guitare ? – Non, ...
• Tu t'es couchée tard ? – Non, ...

Notez sur ...../5

Évaluez vos compétences

	Test	Total des points
• Votre compréhension de l'oral	2 + 5 + 7	...../30
• Votre expression orale	1 + 4	...../20
• Votre compréhension de l'écrit	3 + 8 + 11	...../30
• Votre expression écrite	6 + 9 + 10	...../30
• La correction de votre français	12	...../40
Total		**...../150**

Projet : poésie en liberté

La poésie revient.
Chaque ville a son café littéraire, ses ateliers
d'écriture et son Printemps des poètes.
Voici une évasion dans la poésie des villes.
Lisez. Écoutez la musique des mots.
Mais aussi écrivez des poèmes sur votre ville, votre
région, votre quartier, votre rue ou votre maison.
En petits groupes, organisez un spectacle
de poésies.

LES VOïX DU POÈME
15ᵉ PRINTEMPS DES POÈTES
du 9 au 24 mars 2013
programme près de chez vous : www.printempsdespoetes.com

Chaque année, pour le Printemps des
Poètes, on peut lire, on peut écouter dans
les lieux publics des poèmes du monde
entier.

Regards

① Lisez le poème « Je vois » de Louis Calaferte.
Notez ce que vous voyez dans ce poème.

② Choisissez un lieu que vous aimez. Faites la liste des
choses et des personnes que vous voyez dans ce lieu.
Écrivez un poème avec les mots de cette liste.

Je vois

Je vois une place rose
Avec des enfants
   des pigeons
   des chiens
Je vois une horloge
Et si je voulais je pourrais voir l'heure
Je vois des tas de gens
Des assis qui boivent
    qui boivent des cafés
    qui boivent des demis
    qui mangent des sandwiches
    qui mangent des croissants
      des crêpes
      des pizzas
[...]
Tout ça se confond
Tout ça se mélange
Ça fait du mouvement
C'est assez vivant

Louis Calaferte, *Sauf-Conduit*,
© Éditions Tarabuste 2002.

❸ Lisez ce texte du slameur Grand Corps Malade.

a. Retrouvez les formes écrites correctes :

Y'a → ...   T'as mal → ...

b. Faites la liste de ce que l'auteur voit de sa fenêtre.

De quel quartier parle-t-il ?

→ Vocabulaire familier :

un gars : un jeune – **un mec** : un homme – **galère** : vivre sans travail ou avec de petits boulots – **vachement** : beaucoup (de)

Écrivez un petit texte pour dire ce que vous voyez de votre fenêtre.

Vu de ma fenêtre

Vu de ma fenêtre, y'a des petits qui font
du skate, ça fait un bruit, t'as mal à la tête
Et puis y'a des gars en bas qui galèrent
Ils sont là, ils font rien, ils prennent l'air
Surtout le printemps, surtout l'été, surtout
l'automne, surtout l'hiver
Vu de ma fenêtre, y'a vachement de
passage, de Carrefour à la mairie je vois
des gens de tout âge
Du métro à la boulangerie, je vois toutes
sortes de visages
Et puis en face bien sûr, y'a Vidéo-Futur,
toute la nuit, les mecs s'arrêtent devant
en voiture.

Grand Corps Malade, 2006, *Midi 20*.

Recette

Recette

Prenez un toit de vieilles tuiles
Un peu après midi.

Placez tout à côté
Un tilleul déjà grand
Remué par le vent,

Mettez au-dessus d'eux
Un ciel de bleu, lavé
Par des nuages blancs.

Laissez-les faire.
Regardez-les.

Guillevic (1907-1997), *Avec*,
© Éditions Gallimard.

Félix Vallotton,
Paysage, la maison au toit rouge, 1924.

❶ Pourquoi le poème ci-contre a-t-il pour titre « Recette » ?

❷ Guillevic peint un tableau avec des mots. Dessinez ce tableau.

❸ Comme Guillevic, faites un tableau poétique de votre maison ou d'un lieu que vous aimez.

Zoom

❶ Lisez ce début d'un poème de Paul Éluard et imaginez la suite.

❷ Imaginez un poème sur votre pays en utilisant un procédé du cinéma :
zoom arrière (du plus grand vers le plus petit),
travelling (à côté de... autour de... derrière...),
etc.

Dans Paris

Dans Paris il y a une rue ;
Dans cette rue il y a une maison ;
Dans cette maison il y a un escalier ;
Dans cet escalier il y a une chambre ;
Dans cette chambre il y a une table ;
Sur cette table il y a un tapis ;
Sur ce tapis il y a une cage ;
Dans cette cage il y a un nid ;
Dans ce nid il y a un œuf,
Dans cet œuf il y a un oiseau.

Paul Éluard, *Les Sentiers et les Routes de la poésie*,
© Éditions Gallimard, 1954

Haïkus

**Le haïku est un petit poème d'origine japonaise. En quelques mots, il décrit un monde, une impression.
Voici des haïkus de poètes québécois.**

Dans le parc soudain
très vide, un parapluie
s'éloigne

Robert Melançon

Le bar est vide
le serveur lit son journal
je n'attends personne

Carol Lebel

Le monde ce soir
premier plaisir d'automne
peler des pommes

André Duhaime

❶ Pour chaque poème imaginez la scène.

❷ Écrivez un haïku. Décrivez un souvenir en quelques mots.

Site : Haïku sans frontières, une anthologie mondiale, pages.infinit.net/haïku

Souvenir

Voici un des plus beaux et des plus célèbres poèmes de la langue française.

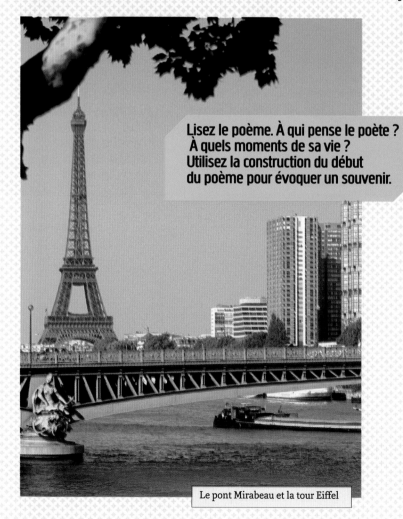

Lisez le poème. À qui pense le poète ?
À quels moments de sa vie ?
Utilisez la construction du début
du poème pour évoquer un souvenir.

Le pont Mirabeau et la tour Eiffel

Le pont Mirabeau

Sous le pont Mirabeau coule la Seine
   Et nos amours
  Faut-il qu'il m'en souvienne
La joie venait toujours après la peine

    Vienne la nuit sonne l'heure
    Les jours s'en vont je demeure

Les mains dans les mains restons face à face
   Tandis que sous
  Le pont de nos bras passe
Des éternels regards l'onde si lasse

    Vienne la nuit sonne l'heure
    Les jours s'en vont je demeure

L'amour s'en va comme cette eau courante
   L'amour s'en va
  Comme la vie est lente
Et comme l'Espérance est violente

    Vienne la nuit sonne l'heure
    Les jours s'en vont je demeure

Passent les jours et passent les semaines
   Ni temps passé
  Ni les amours reviennent
Sous le pont Mirabeau coule la Seine

    Vienne la nuit sonne l'heure
    Les jours s'en vont je demeure

Guillaume Apollinaire
Alcools, © Éditions Gallimard, 1959

Unité 3

Établir des contacts

Pour **entrer en contact** avec un francophone et cultiver vos relations, vous allez **apprendre** à...
▶ **Épisodes 9 et 10**

Vous **informer** sur les personnes et les événements de vive voix, par téléphone, par lettre, par Internet
▶ **Épisodes 11 et 12**

Sympathiser avec les autres, **évoquer** des goûts, des souvenirs, des opinions, **réagir** à des événements heureux ou malheureux
▶ **Épisodes 13 et 14**

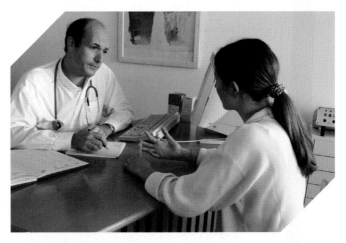

Faire face aux situations d'urgence et aux problèmes de santé
▶ **Épisodes 15 et 16**

Ma génération

L'ALBUM DES SOUVENIRS

1993 : L'équipe de hockey *Les Canadiens de Montréal* a gagné la Coupe Stanley.

Mon plus vieux souvenir d'enfant

J'avais cinq ans. Chez ma grand-mère, dans le placard de la cuisine, il y avait des jujubes. Quand j'allais chez elle, je remplissais mes poches de ces bonbons.

Mon meilleur souvenir d'école

À l'école, je n'étais pas fort en maths. J'avais souvent de mauvaises notes. Un jour, l'école a participé à un concours provincial. J'ai gagné le prix du meilleur élève en maths de la région. J'étais le plus heureux des enfants.
J'aimais bien aussi les derniers jours d'école à la fin du mois de juin. On jouait dans la cour. On lisait des BD d'Astérix et de Gaston Lagaffe.

Mon meilleur prof

J'adorais ma prof d'anglais. Avec elle, la vie entrait dans la classe. On chantait. On dessinait. On jouait des pièces de théâtre.

Mon meilleur souvenir avec les amis

Quand j'avais dix ans, nous habitions dans un appartement du quartier Hochelaga-Maisonneuve. J'avais plein d'amis. On faisait du vélo et on jouait au hockey.

1995 : Le référendum sur la souveraineté du Québec
Oui : 49,42 %   Non : 50,58 %

Ma première émission de télévision
Tous les soirs, je regardais un épisode de *Passe-Partout*. C'était très amusant. Les personnages nous aidaient à prononcer les mots, nous parlaient de leurs joies, de leurs peines, de leur monde intérieur !

Ma première voiture

J'ai eu ma première voiture à dix-neuf ans quand je suis entré à l'université.

C'était une vieille Ford Mustang avec un toit ouvrant. Elle avait 100 000 km. Les filles adoraient !

Mon premier grand voyage

À vingt ans, je suis parti au Pérou avec une copine. On n'avait pas beaucoup d'argent mais dans *Le Guide du routard*, on trouvait toujours un bon plan pour voyager, manger ou dormir pas cher.

La chanson de ma jeunesse

Tout un été, on a dansé sur « 1990 » de Jean Leloup. C'était aussi l'époque des Colocs et de Dan Bigras. La chanson disait : « En 1990 c'est l'heure des communications ». C'était tellement vrai !

▶ **Document 8**

Découvrez l'album des souvenirs

À faire en petits groupes.

1• **Lisez les extraits de l'album. Notez ce que vous apprenez sur son auteur :**
 – l'époque de sa naissance
 – ses études
 – ses goûts et ses intérêts.

2• **Trouvez les verbes et leur infinitif. Classez ces verbes selon leur temps.**

Verbes à l'imparfait	Verbes au passé composé
J'avais (avoir)	

Rédigez quelques souvenirs

Travail individuel.

1• **Choisissez quelques souvenirs :** souvenirs d'école, de vacances, de moments passés en famille ; souvenirs de votre premier livre, de votre premier ordinateur, etc.

2• **Rédigez chaque souvenir en quelques lignes.**

Réalisez l'album des souvenirs de votre groupe

1• **Lisez vos souvenirs à votre groupe.**

2• **Choisissez les meilleurs souvenirs pour réaliser l'album du groupe.** Vous pouvez ajouter quelques photos.

Les moments de la vie

• l'enfance et l'adolescence
un enfant – un bébé – un enfant de 8 ans
La naissance. Claudia est née en 2000.
Elle a … ans.
Jouer – aller à l'école
un adolescent (à partir de 13 ou 14 ans)
aller au secondaire, au cégep

• l'âge adulte
un adulte – un homme (un monsieur) –
une femme (une dame)
un jeune – un jeune homme –
une jeune fille
une personne âgée (homme ou femme)
la mort – mourir. Il est mort en 1944.

• les souvenirs
se souvenir (de…). – Je me souviens de mon premier professeur de français.
Se rappeler. – Je me rappelle son nom.

Parler des souvenirs et des habitudes

> À vingt ans, j'étais étudiant.
> Mais je n'étudiais pas beaucoup.
> J'avais beaucoup de copains. Ils aimaient faire la fête.
> On se couchait à cinq heures du matin.
> Nous n'allions pas souvent en cours.

> Où tu étais à vingt ans ?
> Qu'est-ce que tu faisais ?

1 Que font les personnages ci-dessus ? Cochez les bonnes réponses.
a. ils racontent des histoires
b. ils parlent de leurs souvenirs
c. ils font des projets
d. ils parlent de leur jeunesse

2 Relevez les verbes. Trouvez leur infinitif. Observez les terminaisons. Trouvez la conjugaison du verbe « parler » à l'imparfait.
« je …, tu … »

3 Lisez ci-contre comment on forme l'imparfait. Mettez les verbes suivants à l'imparfait.
connaître : elle …   habiter : nous …
lire : je …   regarder : vous …

4 Mettez les verbes entre parenthèses à l'imparfait.
Un adolescent interroge son grand-père
• Tu (*habiter*) où quand tu (*être*) jeune ?
– À Montréal. J'(*avoir*) une chambre dans le Quartier latin.
J'(*étudier*) à l'université McGill. C'(*être*) une belle époque. Le soir, nous (*aller*) au parc du Mont-Royal.
L'après-midi, on se (*retrouver*) dans les cafés de la rue Sainte-Catherine.
• Vous (*connaître*) Jean Drapeau et Maurice Richard ?
– J'ai vu Maurice Richard deux ou trois fois.

L'imparfait

Ce temps est utilisé pour parler des souvenirs et des habitudes passées.
Il est aussi utilisé avec le passé composé quand on raconte une histoire.
Il est formé à partir de la personne « nous » du présent.
Exemple : aller → nous allons (présent)
      → **j'allais, tu allais**… (imparfait)

<u>aimer</u>
j'aim**ais**
tu aim**ais**
il/elle aim**ait**
nous aim**ions**
vous aim**iez**
ils/elles aim**aient**

<u>être</u> : **j'étais**…
<u>avoir</u> : **j'avais**…
<u>faire</u> : **je faisais**…

Attention aux verbes en -*ier*
→ nous étud**iions**

Raconter

> Tu as beaucoup changé !

> Eh oui. Un jour, j'ai rencontré Zoé.
> Je me souviens.
> C'était à la bibliothèque de la ville.
> Je lisais des mangas. Elle cherchait un livre de Kawabata.
> Nous avons parlé du Japon. Puis nous sommes allés nous promener. Il faisait beau.
> Zoé était belle…

1 Classez les verbes dans le tableau. Observez l'emploi du passé composé et de l'imparfait.

Actions principales	Actions du deuxième plan (description, commentaire, habitudes)
Un jour, j'ai rencontré Zoé...	C'était à la bibliothèque...

2 Mettez le récit suivant au passé. Utilisez le passé composé et l'imparfait.

Nous allons au bord de la mer pour la fin de semaine. Il fait chaud. Il y a beaucoup de monde. Je prends un bain. Puis, avec mon frère, nous faisons du surf. Le soir, nous sommes fatigués.

« Le week-end dernier, nous ... »

Le récit au passé

Les actions principales se mettent **au passé composé**. Les descriptions, les commentaires, les actions habituelles sont **à l'imparfait**.
Elle est sortie. Il faisait beau. Elle s'est promenée dans la campagne. La nature était belle. Elle venait souvent dans cet endroit.

Donner des précisions sur la durée

J'ai changé **depuis** le jour de ma rencontre avec Zoé.
J'ai rencontré Zoé **il y a** dix ans.
Il y a 10 ans que je n'ai pas vu mes copains.
Ça fait 10 ans que je travaille dans l'entreprise du père de Zoé.
Je suis directeur **depuis** 5 ans.

1 Observez ci-dessus l'emploi des expressions en gras.

2 Lisez le document ci-contre et répondez.
a. Depuis combien de temps Laurence vit à Brossard ?
b. Il y a combien de temps qu'elle a rencontré Jérôme ?
c. Depuis quand sont-ils installés rue Océanie ?
d. Ils se sont installés rue Océanie combien de temps après leur rencontre ?
e. Quand Jade est-elle née ?
f. Quel âge a-t-elle aujourd'hui ?

Exprimer la durée

· **Durée d'une action qui continue dans le présent**
→ à partir d'une date
Depuis quand tu habites à Québec ?
J'habite à Québec **depuis** octobre 2004.
→ quand on donne la durée de l'action
Depuis combien de temps elle habite à Québec ?
Il y a
Ça fait } longtemps qu'elle habite à Québec.
Elle habite à Québec **depuis** 30 ans.

· **Durée entre une action passée et le moment présent**
Depuis combien de temps êtes-vous arrivée ?
Elle est arrivée **depuis (ça fait, il y a)** dix minutes.

· **Durée sans relation avec le présent**
Pendant cinq ans, il a travaillé chez Bombardier.

2000 – arrivée de Laurence à Brossard 2001 – travail à la Banque Nationale 2002 – rencontre avec Jérôme 2003 – installation rue Océanie 2005 – naissance de Jade **Aujourd'hui**, ils habitent toujours Brossard et ils travaillent toujours à la Banque Nationale.

À l'écoute de la grammaire

1 Écoutez ces phrases. Notez le temps du verbe.

	Présent	Passé composé	Imparfait
1	Tu habites		

2 Le [j]. Nous parl**i**ons – Vous parl**i**ez.
Aujourd'hui comme hier
Vous aimez la poésie... Vous aimiez la poésie
Vous lisez Émile Nelligan... Vous lisiez Émile Nelligan
Vous allez au café Cherrier... Vous alliez au café Cherrier
Nous parlons du passé... Nous parlions du futur
Vous prenez des thés au citron... Vous preniez des thés au citron

Mon oncle d'Acadie

1 – Le mystère des Thibodeaux

Réussite

FRANCOIS THIBODEAUX : LE ROI DE L'ÉCREVISSE

Installé en Louisiane depuis vingt-cinq ans, François Thibodeaux est directeur de Bayoucrawfish, une grosse entreprise de production d'écrevisses. Aujourd'hui, Bayou-crawfish exporte en Europe et au Canada.

1 Chez François Thibodeaux, à la Nouvelle-Orléans, en Louisiane, en mai.

Camille : Dis-moi, papa…
François : Oui, ma chérie.
Camille : Ton jeune frère ne s'appelle pas Patrick ?
François : Pourquoi cette question ?
Camille : J'ai lu ce livre pour mon travail à l'université. Il est de Patrick Thibodeaux !
François : Le monde est plein de Patrick Thibodeaux !
Camille : Oui, mais lui, il a sa photo sur le livre et vous vous ressemblez.
François : Fais voir… *Écologie marine*… C'est drôle, quand j'ai quitté l'Acadie, il était étudiant.

Camille : Donc, c'est lui.
François : C'est bien lui !
Camille : Alors, je suis étudiante en écologie. J'ai un oncle spécialiste d'écologie et je ne connais pas cet oncle !
François : Je sais, c'est stupide.
Camille : Tout ça pour une dispute avec tes frères et ta sœur il y a vingt-cinq ans !
François : C'est la vie.
Camille : Et tu n'as pas envie d'avoir de leurs nouvelles ?
François : Ça fait trop longtemps, Camille…

2

François : Je me souviens. On a pris cette photo pour l'anniversaire de Patrick. Il avait dix-neuf ans et moi vingt-quatre.
Camille : Vous êtes où ?
François : Devant la maison de famille, à Shédiac.
Camille : Donc, c'était juste avant la mort de tes parents ?
François : C'est ça. Ils ont eu leur accident de voiture six mois après.
Camille : Alors, là, au milieu, c'est ma grand-mère et mon grand-père.

 Transcription

3 Fin septembre. Dans le Vieux Carré de la Nouvelle-Orléans.

Un jeune homme : Salut, Camille... Alors, cet examen ?

Camille : J'ai réussi !

Le jeune homme : Félicitations ! Un baccalauréat en sciences à vingt et un ans, c'est cool !
Et qu'est-ce que tu vas faire maintenant ?

Camille : Une maîtrise en études de l'environnement, à Moncton.

Le jeune homme : Moncton ? En Acadie ? Tu as de la famille là-bas ?

Camille : Oh, c'est une histoire compliquée. J'ai des oncles, une tante, peut-être des cousins. Mais je ne sais pas où ils sont.

Le jeune homme : Comment ça ?

Camille : Mon père est fâché avec eux depuis vingt-cinq ans.

Le jeune homme : Tu n'as pas fait une recherche sur Internet ?

Camille : Oui. J'ai juste trouvé l'adresse d'un oncle à Shédiac.

Compréhension et simulations

1 SCÈNE 1. Complétez les informations.
• François habite ... depuis ...
C'est le directeur d'...
Quand il était jeune, ...
• Camille est la fille ... . Elle est ...

2 Imaginez, préparez et jouez la scène à deux.
Vous vivez avec un(e) ami(e). Un jour, sur son bureau, vous découvrez la photo d'un(e) inconnu(e).

3 SCÈNE 2. Écoutez toute la scène (partie transcrite et partie non transcrite). Identifiez les personnages de la photo de famille.
Faites l'arbre généalogique de la famille Thibodeaux. Que savez-vous de chaque personnage ?

4 SCÈNE 3. Répondez.
• Quelle nouvelle annonce Camille ?
• Qu'a-t-elle décidé ?
• Pourquoi va-t-elle à Moncton ?

5 Préparez et jouez la scène à deux.
Vous décidez de quitter votre travail ou d'arrêter vos études. Vous avez d'autres projets. Vous rencontrez un(e) ami(e) et vous parlez de ces projets.

Enchaîner les idées

• **Donc**
Il pleut. Donc nous ne faisons pas la randonnée. Nous allons donc jouer aux cartes.

• **Alors**
Tu ne vas pas au cinéma ? Alors qu'est-ce que tu vas faire ?

• **Pour**
Pourquoi sors-tu ? Pour aller à la poste.

🌐 Sons, rythmes, intonations

1 Différenciez [o], [ɔ] et [ɔ̃].
C'est drôle. Mon oncle ne répond pas
Quand je lui pose des questions.
Il ne dort pas. Donc, il est mort.
Appelons la police.

2 Différenciez [ɔ̃] et [ɑ̃].
Ça fait longtemps
Qu'il est sans réaction ?
A-t-il mangé du jambon
Du concombre de Cambrai
Du saucisson de Sancy
Ou du melon de Languedoc ?

Le cinéma parle de la famille

Starbuck

Gracieuseté de Caramel Films

Film de Ken Scott avec Patrick Huard, Julie Le Breton, Antoine Bertrand

Fils d'immigré polonais, David Wozniak, 42 ans, travaille pour la boucherie familiale, mais il se dispute souvent avec son père et ses frères. Son couple a aussi beaucoup de problèmes. Sa conjointe, Valérie, est enceinte, mais elle ne veut pas vivre avec David qui se comporte comme un adolescent. Plus jeune, il a donné son sperme pour gagner de l'argent sous le pseudonyme de « Starbuck ». Il apprend qu'il est le père biologique de 533 enfants. 142 enfants veulent connaître sa véritable identité et vont au tribunal. Les problèmes continuent. David rencontre en cachette ces enfants et commence à les aimer. Son meilleur ami, un avocat séparé, qui s'occupe seul de trois jeunes enfants et d'un bébé, va aider David...

Les Enfants

Film de Christian Vincent, avec Gérard Lanvin et Karin Viard

Pierre est professeur. Sa femme et lui se sont séparés il y a quelques mois. Tous les mercredis et un week-end sur deux, Pierre s'occupe de ses deux fils : Victor (14 ans) et Thomas (9 ans). Comme il vit dans un studio, il cherche un appartement plus grand.

Il rencontre alors Jeanne, agent immobilier, divorcée, et mère de Camille, 13 ans, et de Paul, 9 ans. C'est le coup de foudre. Pierre et Jeanne veulent vivre ensemble. Ils partent en vacances avec les enfants sur l'île de Ré et, au retour, Pierre s'installe chez Jeanne avec ses fils.

Mais les enfants, eux, n'ont pas envie d'être ensemble. Ils se disputent sans arrêt et les problèmes commencent.

Lol

Film de Lisa Azuelos, avec Sophie Marceau et Christa Theret

Lol, c'est Lola, une lycéenne de 16 ans. Elle vit heureuse avec sa mère divorcée, son petit frère, sa jeune sœur et a une bande de copains sympathiques. Mais cette année d'adolescence va être une année difficile. Lola apprend que son copain Arthur a été infidèle pendant les vacances. Elle tombe amoureuse de Maël, le meilleur ami d'Arthur. Mais Maël hésite. Elle découvre aussi que sa mère continue à voir son père en cachette, qu'elle a une aventure avec un policier, qu'elle fume du cannabis et qu'elle lit son journal intime. Alors, Lol décide d'aller vivre chez son père...

Une année faite de moments heureux et malheureux...

Présentation orale des films

1 Partagez-vous les trois films du document. Notez les personnages et les étapes de l'histoire de votre film.

2 Imaginez la fin du film.

3 Présentez votre film à la classe.

Le sens réciproque

Pour exprimer la réciprocité, on utilise la conjugaison pronominale.

Pierre et Marie **se regardent** (Pierre regarde Marie et Marie regarde Pierre).

Ils **se sont rencontrés**. Ils **s'aiment**. Ils vont **se marier**.

LA FAMILLE ET LES AMIS

Il y a cinquante ans, au Canada, une famille devait ressembler au grand arbre du tableau ci-dessous.

Aujourd'hui, on rencontre plusieurs types de famille :

un homme et une femme, mariés ou non, avec ou sans enfants ; une personne seule avec un ou plusieurs enfants ; deux hommes ou deux femmes avec ou sans enfants.

Le nombre de Canadiens célibataires est de 27,6 %.

On se marie beaucoup : 67 % des couples sont mariés et 17 % sont en union libre.

Mais on divorce aussi beaucoup. Il y a 40 % de divorces.

Les amis sont aujourd'hui aussi importants que la famille. Quand on fête une naissance ou un mariage, on « oublie » souvent quelques membres de la famille et on préfère inviter des amis.

Les types de famille au Canada

Couples mariés	67 %
Couples en union libre	16,7 %
Couples avec enfants	39,2 %
Couples sans enfants	44,5 %
Famille monoparentale (femme)	12,8 %
Famille monoparentale (homme)	3,5 %

Micro-trottoir

« En dehors de vos parents, quelle a été la personne adulte la plus importante dans votre enfance ou votre jeunesse ? » Notre journaliste a interrogé cinq personnes.

Pour parler de la famille
• les membres de la famille

le grand-père – la grand-mère

le beau-père – la belle-mère

le père – la mère

l'oncle – la tante

le beau-frère

le mari – la femme

le frère – la sœur

le cousin – la cousine

la belle-sœur

le fils – la fille

le neveu – la nièce

le petit-fils – la petite-fille

• la vie du couple

se rencontrer (une rencontre) – vivre ensemble – un ami – un copain – un petit ami (peu employé par les jeunes) – un conjoint/une conjointe

se marier (un mariage) – un mari/une femme – se séparer (une séparation), divorcer (un divorce)

Faites des comparaisons

Lisez les documents ci-dessus. Faites des comparaisons avec la situation dans votre pays.

Écoute du micro-trottoir

Pour chaque personne interrogée, complétez le tableau.

	Personne préférée	Explications
1	Un grand-père	.....

Répondez à la question du journaliste.

Présentez votre famille à votre voisin(e)

Posez-vous des questions.

« Tu as un frère ? Qu'est-ce qu'il fait ? Il est marié ? Que fait ta belle-sœur ?... »

Les échos d'Écho sur cle-inter.com/echo

Sondage

ÊTES-VOUS ACCRO AUX NOUVELLES TECHNOLOGIES ?

1 **Vous avez un ordinateur ?**
Entourez une réponse.

OUI ☐ 1   NON ☐ 0

2 **Vous l'utilisez pour :**
- créer des documents ☐ 1
- aller sur Internet ☐ 1
- imprimer des photos ☐ 1
- jouer à des jeux vidéo ☐ 1

3 **Vous allez sur Internet...**
- jamais ☐ 0
- quelquefois dans la semaine ☐ 1
- une fois par jour ☐ 2
- plusieurs fois par jour ☐ 3
- vous êtes toujours connecté(e) ☐ 4

4 **Vous l'utilisez pour :**
- envoyer et recevoir des messages ☐ 1
- chercher des informations ☐ 1
- faire des achats ☐ 1
- participer à des clavardages ☐ 1
- enregistrer de la musique ☐ 1
- télécharger des films ☐ 1
- jouer en réseau ☐ 1
- dialoguer avec une webcam ☐ 1
- tenir un blogue ☐ 1

5 **Cochez les phrases correspondant à votre situation.**
- J'ai un cellulaire. ☐ 0
- Il est toujours allumé. ☐ 1
- Je le prends quand je sors. ☐ 1
- Quand je l'ai oublié, je reviens chez moi pour le prendre. ☐ 1

6 **Pour dire à votre petit(e) ami(e) que vous l'aimez...**
- vous lui écrivez une longue lettre ☐ 0
- vous lui téléphonez ☐ 1
- vous lui envoyez un courriel ☐ 2
- vous lui envoyez un texto ☐ 2

Pétillon, *Le Meilleur de Pétillon*, © Albin Michel, 2002.

Pétillon, *Le Meilleur de Pétillon*, © Albin Michel, 2002.

Interactions

Répondez au sondage

1• Répondez au sondage avec l'aide du professeur.

2• Comptez vos points.

3• Quel est le sens des petits mots avant les verbes ?
l' (questions 2 et 4) – **lui** (question 6) – **leur** (question 7)

Faites le bilan du sondage en classe

1• Les étudiants se regroupent selon le total de leurs points.
groupe a : de 0 à 15 points
groupe b : de 16 à 25 points
groupe c : de 26 à 30 points

2• Chaque groupe résume ses réponses au sondage et les justifie.

Tour de table

Peut-on vivre sans cellulaire ?
Peut-on vivre sans Internet ?

7 **En vacances, pour rester en contact avec vos amis…**

- vous leur écrivez une carte postale — `0`
- vous leur téléphonez — `1`
- vous leur envoyez un courriel ou un texto — `2`

8 **Êtes-vous d'accord ?** **OUI**

- Les cellulaires ne sont pas dangereux pour la santé. `1`
- L'ordinateur n'est pas difficile à utiliser. `1`
- Internet n'est pas dangereux pour les enfants. `1`
- Avec Internet, la vie est plus facile et moins chère. `1`
- Avec Internet, j'ai trouvé de nouveaux amis. `1`

TOTAL DES POINTS `… / 30`

Exprimer la fréquence, la répétition

- Il regarde **toujours** ses messages le soir.
- Elle va **souvent** sur Internet.
  quelquefois
  de temps en temps
- Elle lit ses messages trois **fois par** jour.
- Il **n'**utilise **jamais** Internet pour faire des achats.
- Le préfixe « re » peut exprimer la répétition :
lire → relire – faire → refaire – dire → redire
Elle a relu plusieurs fois le message.

La communication

parler à quelqu'un – parler de quelque chose
dire… raconter…
demander… écrire…
montrer… souhaiter… } quelque chose
donner… prêter… à quelqu'un
rendre… envoyer…
recevoir quelque chose de quelqu'un
répondre à quelqu'un, à un message
une lettre (une enveloppe, un timbre)
signer une lettre
un message, un courrier (électronique), un courriel

Utiliser les pronoms compléments directs

Oui, Léa, Jérôme fête son anniversaire. Il **nous** invite... Excuse-moi, la directrice arrive. Tu **m'**appelles à midi ?

D'accord Sylvia. Je **t'**appelle.

Sylvia, vous pouvez traduire cette lettre en anglais ?

D'accord, je **la** traduis.

Il faut aussi préparer mon voyage aux États-Unis et réserver mes vols.

Je **le** prépare. Je **les** réserve.

Je **vous** remercie.

☐ Observez les phrases. Que représentent les mots en gras ?
Je <u>la</u> traduis. → Je traduis <u>cette lettre</u>.

☐ Complétez en utilisant un pronom complément direct.
Léo : J'ai rencontré une fille sympathique. Je ... aime bien.
Marco : Tu ... vois souvent ?
Léo : Oui, je ... appelle. Elle ... appelle. Je ... invite au restaurant. Hier soir, on est allé au restaurant italien de la rue Saint-Zotique.
Marco : Je ne ... connais pas.
Léo : On a mangé des lasagnes.
Marco : Les lasagnes, je ... adore !

☐ Répondez en utilisant un pronom.
Le professeur à l'étudiant
• Vous apprenez bien le vocabulaire ? – Oui, je l'apprends.
• Vous faites les exercices ? – Oui, je ...
• Vous regardez la chaîne francophone TV5 ? – Oui, je ...
• Vous regardez les films ? – Oui, je ...
• Vous comprenez les acteurs ? – Non, je ...

Les pronoms compléments directs

Pour reprendre un nom de personne ou de chose complément direct du verbe (sans préposition).
Je connais **M. Thibodeaux**. Je **le** connais depuis longtemps.

Il **me** connaît	Il **m'**appelle
Il **te** connaît	Il **t'**appelle
Il **le** connaît – Il **la** connaît	Il **l'**appelle
Il **nous** connaît	Il **nous** appelle
Il **vous** connaît	Il **vous** appelle
Je **les** connais	Il **les** appelle

NB : Ici, « le, la, les, l' (devant une voyelle ou h) » ne sont pas des articles. Ce sont des pronoms. Ils se placent devant le verbe.

• Forme négative
Je ne le connais pas. – Elle ne m'appelle pas.

• Forme interrogative
Est-ce que vous le connaissez ?
Le connaissez-vous ?

Les pronoms compléments indirects

La nouvelle assistante de la directrice n'est pas très sympathique. Je **lui** dis bonjour. Elle ne **me** répond pas. Et vous, elle **vous** parle ?

Bien sûr. Elle **nous** parle. On **la** voit souvent. Elle **nous** connaît bien... Toi, elle ne **te** connaît pas.

Nous, avec les nouvelles, on a la technique. On **leur** offre un café. On **les** invite à la cantine. On **leur** présente tout le monde. On **leur** raconte des histoires drôles... Viens, on va **te** présenter.

1 Que reprennent les pronoms en gras ? Classez les pronoms dans le tableau selon la construction du verbe. Trouvez d'autres exemples.

	Le complément est direct (il est relié au verbe sans préposition)	Le complément est indirect (il est relié au verbe avec la préposition « à »)
Le pronom représente je / tu – nous / vous		
Le pronom reprend un nom de personne		Je dis bonjour à la nouvelle assistante. → Je lui dis bonjour.
Le pronom reprend un nom de chose		

2 Complétez en utilisant les pronoms compléments indirects.

Rencontres sur Internet

Clara : Comment tu fais pour rencontrer tous ces garçons ?

Lise : Je vais sur un site Internet. Je sélectionne des annonces sympathiques de garçons. Je … envoie des messages.

Clara : Ils … répondent ?

Lise : Quelques-uns … répondent. Ils … parlent de leurs goûts.

Clara : Ils … envoient leur photo ?

Lise : Quelques-uns. Alors je sélectionne un garçon et je … donne rendez-vous dans un café. Et, une fois sur dix, c'est le coup de foudre !

3 Supprimez les répétitions du texte. Remplacez les mots soulignés par un pronom complément direct ou indirect.

• Tu connais la nouvelle ? Clémentine a quitté Antoine !

– Elle a quitté <u>Antoine</u> quand ?

• Il y a un mois. Elle a écrit une lettre à <u>Antoine</u>. Elle a dit à <u>Antoine</u> qu'elle allait vivre à Rimouski.

– Et les enfants ?

• Elle a emmené <u>les enfants</u>.

– Antoine peut voir <u>les enfants</u> ?

• Il voit ses enfants pendant les vacances mais il téléphone tous les soirs à <u>ses enfants</u>.

Les pronoms compléments indirects

1. Pour reprendre un nom de personne après la préposition « à » quand le verbe exprime une idée de communication ou d'échange

(demander à…, répondre à…, écrire à…, envoyer quelque chose à…, dire quelque chose à…, donner quelque chose à…, etc.)

Elle **me** téléphone	Elle **m'**écrit
Elle **te** téléphone	Elle **t'**écrit
Elle **lui** téléphone	Elle **lui** écrit
Elle **nous** téléphone	Elle **nous** écrit
Elle **vous** téléphone	Elle **vous** écrit
Elle **leur** téléphone	Elle **leur** écrit

• **Forme négative :**

Elle ne me téléphone pas.

• **Forme interrogative :**

Est-ce qu'elle vous téléphone ?

Vous téléphone-t-elle ?

2. Quand le verbe n'exprime pas une idée d'échange ou de communication

Tu penses à Marie ? – Je pense à **elle**.

3. Quand le complément introduit par « à » est un nom de chose

Tu penses à ton travail ? – J'**y** pense.

À l'écoute de la grammaire //

Rythme et enchaînement dans les phrases courantes de la classe.

1 Les phrases du professeur

Vous m'écoutez ?

Vous me comprenez ?

À votre voisin… Vous lui posez une question.

Vous lui répondez.

Voici un exercice… Vous le faites.

Voici un dialogue… Vous l'écoutez.

2 Les phrases des étudiants

C'est difficile.

L'explication… Je ne la comprends pas.

Ces mots… Je ne les comprends pas.

Le texte… Je ne le comprends pas.

Cet exercice… Je ne sais pas le faire.

Ce mot… Je ne sais pas le prononcer.

Mon oncle d'Acadie

2 – Enquête à Shédiac

 1 Septembre. À la faculté des études supérieures et de la recherche de l'université de Moncton.

La secrétaire : À qui le tour ?
Un étudiant : À moi !
Camille : Désolée. Je pense que c'est à moi.
L'étudiant : Tu es sûre ?
Camille : Totalement.
Une étudiante : Elle a raison. Et moi aussi, j'étais là avant toi.
L'étudiant : Ah bon. Excusez-moi. Je n'ai pas fait attention.

Dans le bureau.

Camille : Bonjour. Je suis Camille Thibodeaux. Je vous ai envoyé mon dossier. Je viens de Louisiane.
La secrétaire : Attendez, je vais voir… C'est bon, je l'ai et il est complet. Il me faut juste deux photos.
Camille : Je les ai. Tenez…

Quand Camille sort du bureau.

L'étudiant : Moi aussi, je fais une maîtrise en études de l'environnement.
Camille : Tu écoutes aux portes ?
L'étudiant : Ce n'est pas de ma faute. On entend tout !
Camille : Alors, on va se revoir.
L'étudiant : J'ai juste un papier à donner à la secrétaire. Après, tu as le temps de prendre un café ?
Camille : Là, non, excuse-moi, j'ai un rendez-vous pour une chambre.
L'étudiant : Tiens, je te donne mon numéro de cellulaire. Tu m'appelles quand tu veux.
Camille : D'accord, je t'appelle.

2 Quelques jours plus tard, à Shédiac, devant la maison de l'oncle de Camille.

Le voisin : Vous cherchez quelqu'un ?
Camille : Monsieur Patrick Thibodeaux. Il habite bien ici ?
Le voisin : La maison est à lui mais on ne le voit pas souvent.

 Transcription

3 Chez le voisin
de Patrick Thibodeaux. ////////////////////////////////////

La femme du voisin : Un sucre ?
Camille : Oui, je vous remercie. Hum, il est bon, votre café...
Alors, mon oncle Patrick est en Haïti...
Le voisin : Ça fait deux ans.
Camille : Et il vous donne de ses nouvelles ?
Le voisin : Il m'a envoyé un message pour Noël, c'est tout.
Camille : Et il a des contacts avec son frère et sa sœur ?
Le voisin : C'est possible mais je ne les vois jamais ici.
Camille : Vous pensez qu'ils sont toujours dans la région ?
Le voisin : Thierry, oui, c'est sûr. Il est au Ministère des
Finances. C'est un homme important.
Camille : Et Mathilde ?
Le voisin : Alors, elle, je ne sais pas trop. Quand elle s'est
mariée, elle est partie à Winnipeg. Là-bas, elle était infir-
mière. Mais ça fait quinze ans...
Camille : Vous pouvez me donner l'adresse courriel de mon
oncle ?
Le voisin : Sans problème !

Compréhension et simulations

 1 SCÈNE 1. Que s'est-il passé depuis l'épisode précédent (p. 91) ?
Racontez l'inscription de Camille à l'université.

2 SCÈNE 2. Transcrivez le dialogue. Qu'apprend-on sur Patrick Thibodeaux et sur le voisin ?

3 Jouez la scène (à deux).
Avec votre voisin(e), vous êtes invités chez des amis.
Vous arrivez chez eux à 20 h. Vous sonnez. Personne
ne répond. Pourquoi ? Que se passe-t-il ?
Utilisez le vocabulaire du tableau.

Pour exprimer une opinion

• Vous croyez (vous pensez) que Patrick va rentrer ?
À votre avis, il va rentrer ?
• Je crois
Je pense   } qu'il va rentrer.
Je suis sûr(e)
• Il va peut-être rentrer. C'est possible.
• C'est vrai / C'est faux

4 SCÈNE 3. Notez les nouvelles informations sur les personnages de l'histoire.

5 Camille envoie un courriel à son oncle Patrick. Imaginez et rédigez ce courriel.

Sons, rythmes, intonations

1 Différenciez [ʃ] et [ʒ].
Internet
Chercher « Géorgie » ou « Shéhérazade »
Télécharger des pages de Giono
Jouer avec des gens de Chicago
Enregistrer des chansons
Voyager en Chine ou au Japon
Échanger des images
Le monde est un village

2 Différenciez [s] – [z] – [ʃ] – [ʒ].
Montmartre
Dans sa chambre, sous les toits
Au sixième étage
Charles peint des paysages
Il fait chaud en juillet
Et il neige en janvier
Chaque dessin, un peu d'argent
Et Charles fait des projets
Avec sa charmante voisine

Petits messages au jour le jour

> *Chère tante, cher oncle,*
>
> *Je vous souhaite un joyeux Noël et vous adresse mes meilleurs vœux pour la nouvelle année.*
>
> *Je vous embrasse.*
>
> *Kevin*

○ ○ ○

| Supprimer | Indésirable | | Répondre | Rép. à tous | Réexpédier | Imprimer |

De : Kevin

Bonjour Gaëlle,
Je te remercie pour les documents sur le château de Chenonceaux. Je vais les utiliser pour ma prochaine BD.

Madame,

Je vous prie de m'excuser de répondre à votre message avec une semaine de retard. J'étais en voyage professionnel en Argentine.

Je vous remercie de votre invitation à participer au festival de la BD de votre ville.

Sophie Paquette et Maxime Gauthier

sont heureux de vous inviter à leur mariage

Le 25 mai 2014

Cérémonie à l'hôtel de ville de Saint-Tite à 16 heures.

Fin d'après midi et soirée
à l'auberge Godefroy à
Bécancour.

> *Bonjour Aurélie,*
>
> *Je n'ai pas pu venir à ta présentation de thèse. Je le regrette beaucoup. J'ai dû faire un voyage en Argentine. Sylvie m'a raconté. Je suis très content pour toi et je te félicite.*
>
> *J'espère qu'on va se voir bientôt.*
>
> *Je t'embrasse.*
>
> *Kevin*

Lecture des documents

1 Identifiez chaque document (lettre, message, carte).

2 Pour chaque document, complétez le tableau.

	1	
Qui écrit ?	Kevin	
À qui ?		
À quelle occasion ?		
Qu'exprime la personne qui écrit ? (des remerciements, des excuses, etc.)		

3 Voici des expressions orales. Comment les exprime-t-on à l'écrit ?

a. Merci
b. Désolée
c. Excuse-moi
d. Venez dîner demain
e. Bravo
f. Bon voyage

Rédigez

1 Une amie vous a prêté un livre il y a six mois. Elle vous le demande. Vous lui renvoyez ce livre avec un petit mot.
(Exprimez vos excuses, vos remerciements, votre plaisir d'avoir lu ce livre.)

2 Un ami vous invite à son mariage. Vous ne pouvez pas y aller.
(Exprimez vos remerciements, vos regrets, vos excuses, vos souhaits, votre espoir de voir bientôt le couple.)

Pour remercier

Merci – Je vous remercie (beaucoup) – C'est très gentil à vous
Réponses → De rien – Il ne faut pas – Je vous en prie
NB – « Je vous en prie » est aussi utilisé pour laisser passer quelqu'un (quand on entre dans une pièce ou dans l'ascenseur).

Pour s'excuser

Excusez-moi (Excuse-moi) – Je suis désolé(e) – Je regrette
Je vous prie de m'excuser – Je vous présente mes excuses (formel)
Réponses → Ce n'est rien – Ce n'est pas grave – Ça ne fait rien – Je vous excuse

SAVOIR VIVRE AU CANADA

CONSEILS POUR ÊTRE BIEN REÇU

Tutoyer ou vouvoyer

On se dit « tu » en famille et entre amis. On tutoie aussi les enfants et les jeunes se disent « tu » tout de suite. Dans les autres situations, on se dit « vous ».

Un conseil : écoutez votre interlocuteur. Quand il vous dit « tu », passez au « tu ».

Serrer la main ou faire la bise

Quand ils se rencontrent pour la première fois, les Canadiens se serrent la main.

Sinon, on se dit simplement « bonjour ». On se fait seulement la bise en famille ou entre amis proches, les femmes et les hommes entre eux, les femmes entre elles. Les hommes entre eux se donnent parfois une accolade s'ils sont très proches.

Madame, Monsieur, Marie ou Pierre

Quand on tutoie quelqu'un, on l'appelle par son prénom. On peut vouvoyer quelqu'un et l'appeler par son prénom dans une situation informelle (dans une soirée ou au bureau). On ne dit jamais Monsieur Pierre ou Madame Marie. On dit « Monsieur » au garçon de café et « Madame » à la serveuse.

Allô, bonjour ou bonsoir

On dit « bonjour » jusqu'au début de la soirée, (« allô » dans certaines situations informelles). Puis on dit « bonsoir ». Au lieu de dire « Au revoir », on peut dire « À bientôt », « À demain », « À la semaine prochaine », « Bonne journée », « Bon après-midi », « Bonsoir », « Bonne soirée », « Bonne nuit », « Bon travail », « Bon film », etc.

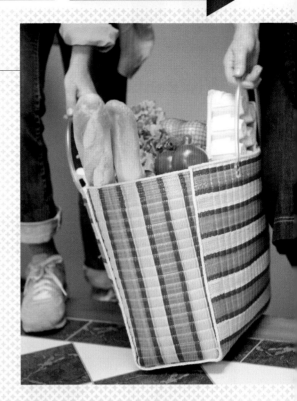

À l'heure, en avance ou en retard

Essayez d'arriver à l'heure à vos rendez-vous. Mais quand on vous invite à souper, arrivez avec un petit quart d'heure de retard. Pour une première invitation, apportez un petit cadeau (des fleurs, du vin...).

Quand on vous fait un cadeau, ouvrez-le tout de suite et dites votre plaisir de le recevoir.

Savoir vivre au Canada

1 Lisez les conseils. Faites des comparaisons avec les habitudes de votre pays.

2 Observez les photos. Imaginez un dialogue pour chaque situation. Travaillez par deux.

3 🎧 Écoutez et transcrivez les scènes. Observez l'emploi des expressions du tableau de la page 100.

Les échos d'Écho sur
cle-inter.com/echo

Vivre ensemble magazine n° 8

LE COURRIER DES LECTEURS
Exposez vos problèmes. Nos conseillers vous répondent.

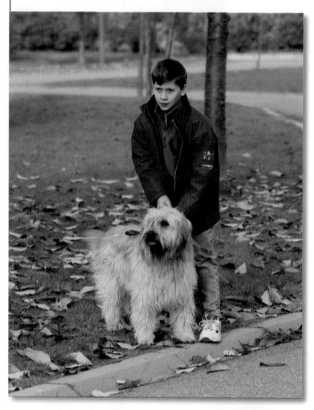

La moitié des familles canadiennes ont un ou plusieurs animaux (chat, chien, poisson ou oiseau).

Acheter, c'est facile, avec le crédit.

→ Accro au tabac

Je fume deux paquets de cigarettes par jour. J'ai commencé à fumer à 17 ans et à 35 ans, je fume toujours. J'ai essayé de m'arrêter avec le patch, les médecines douces mais rien ne marche ! Chaque fois, je recommence. Depuis quelques temps, j'ai peur parce que je tousse et que je suis fatigué. Connaissez-vous une bonne méthode pour arrêter de fumer ?

Alexandre, 35 ans

→ Une vie de chien

J'ai un problème avec mon chien. À la maison, dans la rue, chez les gens, c'est lui le chef. Il veut me suivre partout : dans la chambre, dans la salle de bain, dans les toilettes... Mes amis ne veulent plus venir chez moi et il refuse de rester seul ! Je ne sais plus que faire !

Émilie, 30 ans

→ Un truc contre le trac

Je suis timide. Je le sais. J'ai choisi d'être informaticien parce que je n'aime pas parler en public.
Samedi, il y a le salon de l'informatique. Je dois faire la présentation d'un nouveau produit. J'ai déjà fait une présentation l'an dernier : une catastrophe ! Là, je n'ai pas encore commencé à préparer. Je suis en train de stresser. Je ne dors plus et j'ai mal à l'estomac.
Connaissez-vous un truc contre le trac ?

Thomas, 27 ans

→ Maladie d'achat

Je ne peux pas sortir en ville sans acheter quelque chose. Pour moi, c'est un besoin.
Quand je vois une publicité, je vais acheter le produit. Ma maison est pleine de choses inutiles et mon compte en banque est vide.
Peut-on guérir de cette maladie ?

Alice, 40 ans

→ Toujours là

Mon mari et moi, nous ne comprenons pas notre fils. Il a trente ans. Il gagne bien sa vie. Mais il continue à habiter chez nous. Quand je lui demande s'il n'a pas envie d'avoir son appartement à lui, il répond qu'il se sent très bien chez papa et maman.

Je suis peut-être vieux jeu mais quand, le matin, dans la cuisine, à l'heure du déjeuner, je découvre une de ses amies, je ne trouve pas ça normal.

Et je ne parle pas des fêtes jusqu'à 4 heures du matin.

C'est notre fils, il est gentil. Nous ne pouvons pas le mettre à la porte.

Alors, comment faire ?

Laurence, 55 ans

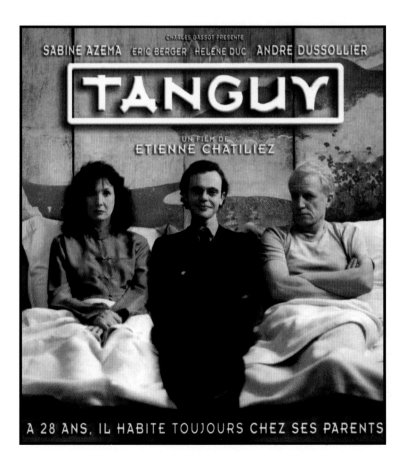

CHARLES GASSOT PRESENTE
SABINE AZEMA   ERIC BERGER   HELENE DUC   ANDRE DUSSOLLIER

TANGUY

UN FILM DE
ÉTIENNE CHATILIEZ

A 28 ANS, IL HABITE TOUJOURS CHEZ SES PARENTS

Le fils de Laurence ressemble à **Tanguy**, personnage d'un film d'Étienne Chatiliez. À 28 ans, Tanguy refuse de quitter sa famille.

42 % des jeunes adultes âgés de 20 à 29 ans vivent encore chez leurs parents.

Les problèmes des lecteurs

1• Avec l'aide du professeur, lisez les lettres des lecteurs du magazine *Vivre ensemble*.

2• Présentez oralement chaque lettre.

3• Notez le vocabulaire des problèmes de santé.

4• Relevez les verbes et les expressions qui précisent les moments d'une action.
   - commencement
   - continuation
   - fin

Répondez aux lecteurs

(réflexion en petits groupes)

1• Chaque petit groupe choisit une lettre et recherche des idées de réponses.

2• Présentez vos idées à la classe. Discutez.

3. Chaque étudiant écrit une réponse.

Jouez au courrier des lecteurs

1• Chaque étudiant pense à un problème et l'expose en quelques lignes sur une feuille de papier.

2• Les feuilles sont pliées et tirées au sort.

3• Chaque étudiant prépare des solutions au problème qu'il a tiré.

4• Il présente à la classe le problème et ses solutions.

Pour donner un conseil

• Je vous conseille de téléphoner à votre ami.
Je vous propose une solution : téléphonez à votre ami.
Un conseil : téléphonez-lui.

• À mon avis, vous devez le voir. – Il faut lui parler. – Vous ne devez pas le quitter.

• N'ayez pas peur... Soyez tranquille...

• Faites attention...

Présenter une action

Gilbert commence à s'entraîner à 8 h. Il s'arrête à midi. Il recommence à 1 h et continue à faire du vélo tout l'après-midi. Il est toujours en forme.

Il a encore mal aux jambes ?

Non, il n'a plus mal !

🔲 Répondez.

Exemple : **a.** « Oui, je joue encore » ou « Je n'ai jamais joué au football ».

a. Vous jouez encore au football ?
b. Vous lisez encore des bandes dessinées ?
c. Vous écrivez encore vos lettres avec un stylo ?
d. Vous regardez encore les dessins animés à la télévision ?
e. Vous fumez encore ?
f. Vous faites encore des maths ?

🔲 Utilisez les verbes commencer, continuer, etc. Racontez...

a. votre apprentissage d'une langue étrangère
« J'ai commencé à apprendre l'anglais il y a... »
b. des travaux dans votre ville

Début, continuation et fin de l'action

- **Les verbes commencer, continuer, etc.**
  Pierre **commence à** travailler à 9 h.
  Il **s'arrête de** travailler à midi.
  Il **reprend à** 13 h et **continue à** travailler l'après-midi.
  Il **finit de** travailler à 18 h.
  Le commencement – le début – la continuation – la fin – l'arrêt

- **Encore – toujours / ne ... plus**
  Il est 19 h. Aujourd'hui, Pierre travaille **encore**.
  Il est **toujours** au bureau.
  Ses collègues **ne** sont **plus** au bureau.

- **Le préfixe « re » (avec certains verbes) signifie recommencer**
  Il reprend le travail.
  Pierre revient chez nous la semaine prochaine.

Préciser les moments d'une action

Les coureurs sont **en train de** passer sur le pont. Les derniers **ne** sont **pas encore** passés. Gilbert est **déjà** passé. Il **vient d'**arriver au sommet !

🔲 Observez les constructions utilisées pour indiquer qu'on est...

a. avant une action (partir, arriver)
b. pendant une action (passer)
c. après une action (arriver, passer)

Le déroulement de l'action

Avant l'action

→ **ne ... pas encore**
Valérie n'est pas encore sortie.

→ **aller + verbe**
Elle va sortir.

Pendant l'action

→ **être en train de + verbe**
Elle est en train de se préparer.

Après l'action

→ **venir de + verbe**
Elle vient de sortir.

→ **déjà**
Elle est déjà loin.

2 Dites ce qu'ils sont en train de faire, ce qu'ils viennent de faire, ce qu'ils vont faire.

Exemple : **a.** Ils sont en train de recevoir la coupe.
Ils viennent de faire un grand match. Ils vont faire la fête.
a. Le club de football *Les Alouettes de Montréal* a gagné la coupe Grey. (*faire un grand match, recevoir la coupe, faire la fête*).
b. Jeanne et Pierre se marient (*arriver à la mairie, dire « oui » au maire, s'embrasser*).
c. Paul part en vacances (*arriver à la gare, monter dans le train, chercher sa place*).
d. Marie va faire des courses (*sortir, acheter du pain et du lait, rentrer dans dix minutes*).

3 Écrivez quelques phrases pour présenter des actions originales...

a. que vous avez déjà faites
Exemples : J'ai déjà dormi 24 heures sans me réveiller.
J'ai déjà mangé des escargots !
b. que vous n'avez pas encore faites mais que vous avez envie de faire
Exemples : Je ne suis pas encore allé(e) à Vancouver.
Je n'ai pas encore fait de surf.

Rapporter des paroles ou des pensées

Je lui demande s'il est fatigué.
Il me répond qu'il est en forme.
Il pense qu'il va gagner le Tour de l'Île de Montréal.

Ah, je dois le laisser.
On lui demande de monter sur le podium.

1 Observez le dessin. Retrouvez les paroles prononcées par chaque personne

Le journaliste : ...
Gilbert : ...
L'organisateur : ...

2 Rapportez le dialogue.

Exemple : Lisa dit à Paul qu'elle a envie de sortir...

Lisa : J'ai envie de sortir.
Paul : Où tu veux aller ?
Lisa : Je voudrais aller danser. Tu veux venir ?
Paul : Je suis fatigué.
Lisa : Je ne veux pas sortir seule.
Paul : Appelle Marie.

Rapporter, des paroles ou des pensées

1. Introduire ou rapporter une affirmation
« Je suis en forme. »
Il dit qu'il est en forme.
Il sait que... Il pense que... Il croit que...
Je réponds que... Je me souviens que ...

2. Introduire ou rapporter une question
« Est-ce que tu es fatigué ? »
Il me demande si je suis fatigué.
Il me demande quand (où, comment, etc.) je vais me reposer.

3. Rapporter une phrase impérative
« Repose-toi. »
Je lui demande } de se reposer.
Je lui dis

À l'écoute de la grammaire

1 Son [y] et rythme de la négation « ne ... plus »

Accro aux jeux vidéo
Il ne sort plus de son studio
Il ne lit plus. C'est inutile
Il ne dort plus. Il ne mange plus
C'est ridicule

2 Rythme des constructions pour rapporter des paroles

Entraîneur et sportif
Il me dit qu'il est fatigué
Je lui demande d'essayer
Il me demande s'il peut s'arrêter
Je lui dis de continuer
Il me dit qu'il a mal
Je lui réponds que c'est normal

11

Un bon conseil !

Mon oncle d'Acadie

3 – À chacun son problème

 1 Octobre à la Nouvelle-Orléans.

François : Je vais voir les messages.
Peggy : Je viens de regarder. Il n'y a pas de message de Camille.
François : Je suis curieux de savoir si elle a vu mon frère.
Peggy : Alors toi, pendant vingt-cinq ans, c'est silence complet sur ta famille. Et là, tout à coup, tu t'intéresses à eux !

2 Novembre à Fredericton.

Thierry : Allô… Hélène ? C'est Thierry.
Hélène : Oui. Qu'est-ce qu'il y a ?
Thierry : Je voulais savoir… Est-ce que tu as programmé ta semaine de relâche ?
Hélène : Pas encore. Pourquoi ?
Thierry : Écoute, Hélène. Je ne peux pas prendre Gabriel en mars. J'ai un voyage au Japon avec le Ministère.
Hélène : Thierry, tu dois t'occuper de Gabriel pour la semaine de relâche. C'est notre accord.
Thierry : Oui, mais là, c'est exceptionnel.
Hélène : C'est toujours exceptionnel avec toi. C'est comme pour les fins de semaine. Tu prends Gabriel une fois sur quatre.
Thierry : Tu le sais bien. Je suis très occupé.
Hélène : Et Myriam, est-ce qu'elle est occupée ?
Thierry : Tu vois, Myriam et Gabriel, ce n'est pas le grand amour.

 3 Au même moment, dans un hôtel de Port-au-Prince, en Haïti.

Patrick : Allô, le CRSNG ?
La réceptionniste : Oui, monsieur.

 Transcription

M. Dossin : Je regrette, M. Thibodeaux. L'année prochaine, il n'y a pas de fonds pour votre recherche.
Patrick : Mais sans votre argent, je ne peux pas continuer.
M. Dossin : Voyez avec la Banque mondiale ou avec la FAO…

Cathédrale Saint-Boniface à Winnipeg

4 | **Au même moment dans un hôpital de Winnipeg.**

Mathilde : Florence, tu peux me remplacer ?
Je ne me sens pas très bien.
Florence : Qu'est-ce que tu as ?
Mathilde : Mal à la tête, des vertiges… et je suis fatiguée.
Florence : Assieds-toi. Tu veux une aspirine ?
Mathilde : Oui, s'il te plaît.
Florence : Mathilde, tu ne peux pas continuer comme ça.
Tu stresses tout le temps. Tu ne dors plus. Tu ne manges
plus. Et ça, c'est depuis que Lapique est arrivée.
Mathilde : Je ne la supporte plus !
Florence : Pourquoi tu ne repars pas en Acadie ? Ta fille est
grande. Tu es libre.
Mathilde : Tu vois, j'aimerais bien retourner dans la petite
maison de mes parents à Shédiac.
Florence : Vous l'avez vendue ?
Mathilde : Non, elle est à mon frère.

Compréhension et simulations

1 SCÈNE 1. Écoutez la scène. Préparez et jouez la scène suivante (à deux).
Un ami francophone doit vous envoyer un document
important pour votre travail. Ce document n'arrive pas.
Votre chef vous pose des questions.

2 SCÈNE 2. Regroupez tout ce que vous savez sur la vie de Thierry.

3 Préparez et jouez la scène (à deux).
Vous partagez un appartement avec un(e) ami(e). Vous
devez ranger l'appartement à tour de rôle. Mais quand
c'est au tour de votre ami(e), il (elle) a toujours quelque
chose à faire.

4 SCÈNE 3. Transcrivez le début de la scène. Retrouvez le vocabulaire du tableau ci-dessous.

5 SCÈNE 4. Répondez.
Pourquoi Florence doit-elle remplacer Mathilde ?
Quels sont ses problèmes ? D'où viennent-ils ?
Que souhaite-t-elle ?

6 Préparez et jouez la scène (à deux).
Vous allez consulter un médecin. Utilisez le vocabulaire
du tableau de la p. 109.

Pour téléphoner

Je voudrais parler à Clara Bertrand.

• Votre interlocuteur
C'est moi… Je vous la passe… Vous avez fait un faux
numéro.

• La réceptionniste
Ne quittez pas. Je vous la passe.
Sa ligne est occupée (Elle est en ligne). Vous patientez ?
Vous voulez laisser un message ?
Elle est en réunion. Vous pouvez rappeler à 11 h.

• Le répondeur
Bonjour. Vous êtes bien chez Clara Bertrand.
Je suis absente pour le moment. Merci de me laisser
un message.

🎧 Sons, rythmes, intonations
Différenciez [p] et [b].

Allô ! Le Bar des Pins ?
C'est la police de Boisbriand.
Je veux parler à Monsieur Barnabé.
Il est absent ? Il est occupé au bureau ?
Il est parti en bateau ?
Et il n'a pas de bagages !
Et il a fait couper sa barbe !
Comme c'est bizarre !

NE STRESSEZ PLUS !

Vous travaillez dans un endroit bruyant et peu ensoleillé. Vous avez des problèmes avec vos collègues. Votre chef vous critique mais vous donne toujours plus de travail...
Résultat : comme 23 % des Canadiens, vous êtes stressé. Vous dormez mal. Vous vous réveillez fatigué et vous n'avez pas envie d'aller travailler.

Voici trois exercices pour vous détendre.
Vous pouvez les faire couché ou assis, à la maison ou au bureau.

❶	❷	❸

Serrez les uns après les autres tous les muscles de votre corps. D'abord les muscles des mains, des bras, les muscles du visage : les yeux, la bouche. Puis tendez les jambes et les pieds. Restez tendu sans respirer quelques secondes... Détendez-vous et respirez lentement.	Mettez la main sur le ventre. Respirez lentement et profondément. Imaginez que l'air entre dans tout votre corps : vos épaules, votre ventre, votre tête... jusqu'à vos mains et vos pieds. Faites cinq ou six respirations lentes et profondes.	Fermez les yeux. Détendez les muscles de votre corps l'un après l'autre. Imaginez que vous êtes dans un endroit agréable. Par exemple, un paysage tranquille. Oubliez le présent et le monde autour de vous.

Exercices contre le stress

1 Lisez l'introduction du document ci-dessus.
- **Recherchez les causes du stress.** Complétez avec d'autres causes.
- **Recherchez les effets du stress.** Complétez.

2 Faites les trois exercices contre le stress avec l'aide du professeur.
- Remarquez le vocabulaire des mouvements (serrer, détendre, etc.) et des parties du corps.
- **Discutez avec la classe.**
  Ces exercices sont-ils utiles ?
  Connaissez-vous d'autres recettes contre le stress (nourriture, activités physiques, etc.) ?

UNE URGENCE ? UN GROS PROBLÈME ? QUE FAIRE ?

▶ **On vous a volé votre portefeuille.**

Allez au poste de police. Pour connaître l'adresse, appelez le ☎ 411.

▶ **Vous assistez à des faits graves (agression, etc.).**

▶ **Il y a le feu dans votre immeuble.**

▶ **Vous assistez à un accident. Des personnes sont blessées.**

Composez un seul numéro ☎ 911 pour appeler les services d'incendie, une ambulance ou la police.

Vous vous sentez très mal ? Vous ne pouvez pas aller chez un médecin ? Appelez le 911 ! Une ambulance va vous transporter à l'urgence d'un hôpital le plus proche, où vous allez recevoir tous les soins nécessaires.

▶ **Vous avez besoin d'un médicament.**

Entrez dans une pharmacie. Attention, au Canada, beaucoup de médicaments ne sont pas en vente libre. Il faut d'abord aller chez un médecin pour faire faire une ordonnance.

▶ **Vous êtes très malade.**

– Allez chez un médecin ou aux urgences des hôpitaux ou des cliniques privées.
– Consultez un médecin au CLSC (Centre local de services communautaires) de votre quartier.
– Appelez le ☎ 911 si vous ne pouvez pas vous déplacer.

Les **policiers** (ou agents de police), les **pompiers** et les **ambulanciers** sur les lieux d'un accident.

Pour parler du corps et des problèmes de santé

• **la maladie**
être malade – avoir un rhume, la grippe, le sida – tousser – avoir mal au ventre, à la tête, aux dents – se sentir bien / mal – il ne se sent pas bien – il se sent mieux – guérir – il est guéri

• **les blessures**
se faire mal – il s'est fait mal à la main – se blesser – il s'est blessé à la jambe – se casser un bras, une jambe

• **les médecins et l'hôpital**
un médecin – un dentiste – aller chez le médecin – faire une ordonnance – un médicament – une pharmacie – un pharmacien – un hôpital – une clinique – une infirmière – une ambulance

La tête
les cheveux – l'oreille – la moustache – la bouche – la barbe
un œil (les yeux) – les lunettes – le nez – les dents – la langue

Le corps
la main – le bras – la jambe – le pied – le cou – le ventre, l'estomac – le dos

Que faire en cas d'urgence ?

❶ **Lisez le document ci-dessus.**
Vous êtes en vacances au Canada. Que faites-vous dans les situations suivantes :
– vous avez mal à une dent
– vous avez perdu votre carte bancaire
– dans la rue, une voiture brûle
– vous êtes tombé(e) dans un escalier et vous ne pouvez plus marcher.

❷ 🎧 **Écoutez. Des personnes appellent les services d'urgence. Complétez le tableau.**

Qui appelle-t-on ?	Pourquoi ?	Quelle est la réponse de l'interlocuteur ?
911, les pompiers	...	...

Les échos d'Écho sur
cle-inter.com/echo

PARTAGEZ VOS ENVIES

Le site des échanges de compétences...

↘ **Loisirs**

↘ **Voyages**

↘ **Projets**

Vous cherchez une compagne ou un compagnon de voyage...

Vous ne trouvez pas de partenaire pour jouer au tennis...

Vous cherchez des amis pour réaliser un projet...

Ce site peut vous aider !

Chang O

→ Je suis chinoise. Je viens d'arriver à Montréal pour continuer mes études de piano. Je ne parle pas très bien français. Je voudrais échanger des cours de français contre des cours de piano. Je cherche quelqu'un de sérieux et de compétent.

Maéva, 24 ans

→ Nous sommes une dizaine de filles et de garçons qui passons nos étés à restaurer le vieux château de Broussac en France. Ce n'est pas un travail très difficile et on prend le temps de s'amuser.
Comme nous n'avons pas assez d'argent, nous créons de petits spectacles qui sont joués le soir dans la cour du château. C'est sympathique et chaleureux.
Tu as envie de nous aider et de pratiquer ton français. Tu es créatif, pas trop timide, intéressé par les vieilles pierres. Alors réponds à ce message.

Charlène

→ Les voyages avec les copains, c'est fini ! Avec eux, il faut tout organiser, réserver, confirmer... et ils ont peur de tout. J'ai besoin d'une vraie aventure. Où ? Ça m'est égal.
Je suis une infirmière de 27 ans qui est drôle et pas compliquée. J'aimerais partir avec des gens sympathiques et décontractés.

Édouard

→ J'ai 26 ans. Je viens de finir mes études de commerce et je suis un passionné d'histoire et de voyage. Avant de commencer à travailler pour une entreprise, j'ai envie de passer quelques mois en Amérique centrale pour découvrir la civilisation maya.
J'aime les contacts. Je suis dynamique et j'ai bon caractère. Je cherche un compagnon ou une compagne de voyage qui parle espagnol.

Corentin, 30 ans

→ Tu t'intéresses au cinéma et tu as déjà réalisé des films en amateur. Tu as envie de découvrir un parc naturel en Afrique. Vivre sous la tente, manger des conserves : ça te va. Tu es en bonne santé, courageux et patient.
Je te propose de partir avec moi en Namibie pendant deux mois pour réaliser un film sur le parc d'Etosha.

...et des projets communs

Quelques-unes de nos actions

↘ Des jeunes préparent des repas pour les défavorisés.

↘ Partager le plaisir de chanter.

↘ Courir pour une cause.

Découvrez le site « Partagez vos envies »

1• **Lisez les annonces avec l'aide du professeur. Pour chaque annonce, trouvez...**
  a. qui écrit (nom, âge, profession, goûts, etc.)
  b. quel est son projet
  c. qui recherche-t-il
  d. quelles sont les qualités recherchées

2• **Recherchez les mots qui expriment les qualités et les défauts des personnes.**

	Qualités	Défauts
Au travail ou dans les études		
Avec les gens		
Autres situations		

Utilisez le site « Partagez vos envies »

1• Chaque étudiant rédige une annonce pour le site. Il se présente (ou imagine un annonceur) et présente son projet. Il décrit la personne recherchée.
2• Toutes les annonces sont affichées ou distribuées.
3• Chaque étudiant répond à une annonce (l'annonce d'un autre étudiant ou une annonce qui est déjà sur le site).

Pour parler des qualités et des défauts des personnes

- avoir bon caractère / avoir mauvais caractère
- être   compétent / incompétent
    dynamique – travailleur / paresseux
    créatif – intelligent / stupide
    sérieux / pas sérieux
    patient / impatient
    calme / nerveux
    courageux / peureux
- être   sympathique / antipathique
    chaleureux / froid
    décontracté – détendu / stressé – tendu
    drôle – joyeux / triste
    gentil / pas gentil
    simple / compliqué
- aimer les contacts / être timide

Caractériser les personnes ou les choses

Tu connais **le gars** qui passe ?

Et la jolie **fille** qui est avec lui ?

Il y a un **scoop** génial à faire !

Il présente le **journal télévisé** de 22 h.

Elle est chanteuse à *La Voix*. C'est **une fille** sympathique.

1 Observez ci-dessus les différentes façons de caractériser les mots en gras.

2 Ajoutez l'adjectif et accordez-le.

À Miami, Lucas a rencontré une femme (*jeune, sympathique*).
Elle a un bateau (*blanc, grand*) et elle fait des voyages (*long, passionnant*) autour du monde.
Tous les ans, elle découvre un pays (*nouveau*).
Elle a beaucoup de choses (*intéressant*) à raconter.

3 Ajoutez l'information en italique en utilisant « qui ».

Paul est un professeur de biologie. (*Il travaille à l'université*)
Il habite un bel immeuble. (*Cet immeuble est dans le centre-ville*)
Il a une conjointe. (*Elle joue du piano*)
Il connaît Flore et Antoine. (*Flore et Antoine sont mes meilleurs amis*)
Nous passons nos vacances à Saint-Agathe-des-Monts. (*Saint-Agathe-des-Monts est un village des Laurentides*)

4 Complétez avec « c'est » ou « elle est ».

• Vous connaissez Victoria Martinez ?
– ... la nouvelle directrice d'Alpha Voyages ?
• Oui, ... est très intelligente et très dynamique.
– On dit que ... une femme très professionnelle. Elle est mexicaine, non ?
• Oui, ... une mexicaine de Cancun. Avec elle, les choses vont changer !

Pour caractériser une personne ou une chose

1. **être + adjectif**
   Pierre est **sympathique**.

2. **nom + adjectif**
   Elle a rencontré un **beau** garçon **sympathique**.

   NB – Les adjectifs *beau, bon, grand, petit, jeune, vieux, nouveau, joli* sont souvent placés avant le nom.
   Les adjectifs de couleurs et les adjectifs de nationalités sont toujours placés après le nom.

3. **nom + de + nom**
   Marie fait des **études** de **piano**.

4. **Construction avec « qui »**
   • Je connais un garçon **qui** travaille à la télé.
   (Je connais un garçon. Il travaille à la télé.)
   • J'ai lu un livre **qui** m'a intéressé.
   (J'ai lu un livre. Il m'a intéressé.)

5. **« C'est » ou « Il est / elle est »**
   « C'est » présente une personne ou une chose.
   Il est suivi d'un nom avec un article.
   « Il/elle est » caractérise une personne ou une chose.

   – Tu connais Pierre ?
   – Oui, **c'est** un garçon sympathique. **Il est** très intelligent. **Il est** professeur à l'université.
   C'est un bon professeur.

Donner des ordres ou des conseils

Écoute-moi !
Suivons-les !
Ne les perdons pas !
Regarde-la, elle lui tient la main.
Prends-les en photo !

Ils nous ont vus !
Parlons-leur ! Demandons-leur s'ils vont se marier.
Donne-moi le micro.

Ne lui parle pas d'Estelle !

⓵ Transformez les phrases du dessin.
Écoute-moi ! → Tu dois m'écouter.

⓶ Insistez comme dans l'exemple.
Julien est amoureux de Roxane mais il est timide. Une amie lui donne des conseils.
• Tu dois téléphoner à Roxane. Téléphone-lui !
• Tu dois inviter Roxane au restaurant. …
• Tu dois envoyer des messages à Roxane. …
• Tu ne dois pas refuser ses invitations. …
• Tu dois supporter ses amis. …
• Tu dois tout me raconter. …

⓷ Répondez comme dans l'exemple.
Un ami difficile
• Je peux utiliser ta voiture ? – Oui, utilise-la.
• Je peux écouter tes CD ? – Oui, …
• Je peux enregistrer ce film ? Oui, …
• Je peux regarder cet album de photos ? – Non, …
• Je peux inviter mes amis ? – Non, …

L'impératif avec un pronom

1. À la forme affirmative
Tu dois m'écouter → Écoute-moi !

Écoute-moi !	Écoute-nous !	
Écoute-le !	Écoute-la !	Écoute-les !
Parle-moi !	Parle-nous !	
Parle-lui !	Parle-leur !	

2. À la forme négative
Tu ne dois pas l'écouter → Ne l'écoute pas !

Ne m'appelle pas ! Ne l'appelle pas !
Ne me parle pas ! Ne leur parlez pas !

Former des mots

Séparation d'Estelle et de Pierre Ricard

Estelle et Pierre Ricard vont se séparer…

⓵ Trouvez le nom correspondant aux verbes.
entraîner → entraînement
commencer – inviter – féliciter – remercier – imaginer – participer – signer – remplacer

Continuez avec d'autres verbes.
Partir → départ   arriver → arrivée

⓶ Trouvez le masculin ou le féminin.
Cette histoire est longue, belle, originale, mystérieuse.
Ce livre est …
Ce personnage est vieux, intelligent, courageux, gentil.
Cette personne est …

La formation des mots

• **du verbe au nom**

suffixe -tion	créer → une création
suffixe -ement	enregistrer → un enregistrement
suffixe -ure	blesser → blessure

• **du nom au verbe**
la danse → danser   un appel → appeler

• **du masculin au féminin**

finale + e	compétent / compétente
voyelle + e	joli / jolie
-ien / -ienne	un pharmacien / une pharmacienne
-ier / -ière	un infirmier / une infirmière
-eur / -euse	un vendeur / une vendeuse
-ais / -aise	un Portugais / une Portugaise
-ain / -aine	un Anglais / une Anglaise
-eux / -euse	heureux / heureuse
-if / -ive	sportif / sportive

À l'écoute de la grammaire

⓵ Écoutez. Écrivez le nom de la personne dans la bonne colonne.

C'est une femme	C'est un homme	On ne sait pas
chanteuse	directeur	artiste
…	…	…
…	…	…

⓶ Masculin et féminin. Écoutez la différence.
Enfants de Marx
Travailleurs, travailleuses ! Ouvriers, ouvrières !
Étudiants, étudiantes ! Infirmiers, infirmières !
Serveurs, serveuses de tous les pays. Levez-vous !

Mon oncle d'Acadie

4 – En famille

1 Fin novembre. //

De : Patrick Thibodeaux
À : Camille Thibodeaux

Chère Camille,
J'ai bien reçu ton message qui m'a fait plaisir.
Je te réponds avec beaucoup de retard parce
que je viens de passer un mois en mer.
Je suis très heureux d'apprendre que j'ai
une nièce et, en plus, une nièce biologiste !
Je rentre au Canada le 1er décembre pour
plusieurs mois.
Appelle-moi au 1-506-...

Camille appelle son oncle. //////////////////

Patrick : Allô...
Camille : Bonjour. Je suis Camille.

▲ *Transcription*

2 Le 2 décembre, Camille rencontre Patrick et sa conjointe Geraldine. //////////////////

Camille : Explique-moi pourquoi vous vous êtes tous fâchés.
Patrick : Bon, d'abord, ton père et Thierry n'avaient pas les mêmes idées politiques.
Camille : Mon père était conservateur et Thierry libéral ?
Patrick : Non, le contraire.
Camille : Ça a bien changé !
Patrick : Ensuite, quand mes parents sont morts, Mathilde voulait la maison de Shédiac.
Camille : Et c'est toi qui as hérité.
Patrick : Elle était très fâchée contre moi. Et puis, surtout, il y avait Hélène.
Camille : La copine de Thierry ?
Patrick : De Thierry et de ton père. Elle était six mois avec Thierry, six mois avec ton père.
Camille : C'est pour ça que mon père est parti...

Plus tard. //

Camille : Tu sais... J'ai une idée !
Patrick : Dis-moi.
Camille : Tu m'as invitée à passer Noël avec vous... Invite-les aussi.
Patrick : Qui ? Mathilde et Thierry ?
Camille : Oui. Téléphone-leur.
Patrick : C'est mission impossible, ça.
Camille : Alors, laisse-moi essayer.

3 Le 25 décembre, jour de Noël, dans la maison de Patrick.

Thierry : Au fait, pour ton projet en Haïti, j'ai une idée.
Patrick : Pour trouver des fonds ?
Thierry : Oui. Je te donne le numéro d'un ami au Ministère. Appelle-le de ma part.

Patrick : Alors tu reviens à Shédiac ?
Mathilde : Oui, je vais m'installer comme infirmière.
Patrick : Installe-toi ici.
Mathilde : C'est ta maison, Patrick.
Patrick : Geraldine et moi, on va acheter un condo à Montréal. Je vends la maison. Achète-la. C'est toi qui fais le prix !

Gabriel : Papa, tante Mathilde m'invite ici pour la semaine de relâche.
Thierry : Et ça te fait plaisir ?
Gabriel : Ben oui !

Camille : S'il vous plaît. Un peu de silence. Votre frère François vous parle de Louisiane.
Mathilde : Oh ! c'est François. On peut lui parler ?
Patrick (tout bas) : Oui, mais ne lui parle pas d'Hélène !

Compréhension et simulations

① SCÈNE 1.

a. Lisez le message de Patrick Thibodeaux.

b. Écoutez et transcrivez la scène. Qu'apprend-on sur la vie de Patrick ?

② SCÈNE 2.

a. Lisez la première phrase de Camille. Imaginez la réponse de Patrick.

b. Écoutez la scène. Notez ce qui sépare…
– François et Thierry
– Patrick et Mathilde

c. Que propose Camille ?

③ SCÈNE 3. Pour chaque partie de la scène, complétez le tableau.

	Quel est son problème ?	Comment ce problème va-t-il être réglé ? Que va faire le personnage ?
Scène a Patrick		
Scène b Mathilde		
Scène c Thierry		
Scène d François		

🔊 Sons, rythmes, intonations

Différenciez et prononcez [ø] et [œ].

Recette pour un roman policier
Dans un immeuble de banlieue
Installez un vieux professeur,
Un docteur mystérieux
Qui vit avec son neveu et sa sœur,
Une chanteuse aux cheveux bleus
Amoureuse d'un jeune acteur
À neuf heures vingt-deux
Organisez un meurtre
Et faites entrer un inspecteur
Curieux et courageux

À CHACUN SON LOOK

Aujourd'hui, on peut s'habiller comme on veut. On peut faire ses courses en jogging, arriver au bureau sans cravate et aller en jean à l'opéra.

Mais cela ne veut pas dire que les vêtements n'ont pas d'importance. Au contraire, on s'habille pour être différent et pour ressembler aux images des magazines de mode. Voici quelques-unes de ces images.

LE DÉCIDEUR

Il veut paraître sûr de lui, compétent, sérieux, travailleur. Il porte donc un costume et une cravate. La « décideuse », elle aussi, s'habille classique : jupe, veste courte sur un chemisier blanc et grand foulard sur les épaules.

Quand le décideur parle, il utilise des mots anglais. Pour être « au top », il fait attention à son « timing » et programme des « coachings ».

Il est souvent chef d'entreprise ou travaille dans la politique.

LE CRÉATIF

Il est facile à reconnaître. Il s'habille en noir de la tête aux pieds : pantalon noir, veste noire, chapeau noir. Seule originalité, une écharpe blanche ou rouge et quelquefois des baskets aux pieds.

La « créative » lui ressemble. Ils sont artistes, architectes, écrivains, travaillent dans le théâtre ou le cinéma. Ils veulent paraître intelligents et cultivés, et utilisent avec naturel un langage compliqué.

LE BOBO

Les bobos (bourgeois bohèmes) refusent la mode bourgeoise et le style décontracté des bohèmes. Ils veulent être différents des autres. Ils achètent des vêtements (chers) qui rappellent les années 50 ou 60, l'Asie ou l'Afrique, mais qui ont un style original.

Ils ne parlent jamais d'argent mais d'écologie, de médecines douces et de nouvelles technologies.

LE DÉCONTRACTÉ

Le décontracté et la décontractée ne s'intéressent pas à la mode. Pour eux, le vêtement n'a pas d'importance. Chez eux, au travail ou dans les soirées, ils portent un jean, un chemisier, une chemise ou un tee-shirt en été et un pull en hiver.

Ils veulent paraître simples, vous parlent simplement, vous tutoient facilement et on a tout de suite envie d'être leur copain.

On les rencontre partout. Ils peuvent être étudiants, employés mais aussi médecins, avocats ou professeurs de faculté.

LE JEUNE

Aujourd'hui, tout le monde veut rester jeune. Alors on s'habille comme les jeunes. On met leurs vêtements qui viennent du monde du sport : haut de jogging, long tee-shirt de basketteur, pantalon large, casquette de joueur de base-ball.

On utilise leurs mots. On dit « Je capote sur » (j'aime) le français mais la grammaire, « je suis tanné » (j'en ai assez).

Et on apprend le texto :
« Tfk ? » ou « Tfq ? » (Tu fais quoi ? ou Qu'est-ce que tu fais ?)
« Qd9 ? » (Quoi de neuf ?)
« mdr » (mort de rire)

Rédigez

Vous faites un voyage professionnel au Québec. Une personne qui ne vous connaît pas doit vous attendre à l'aéroport.

Vous envoyez un message à cette personne. Vous lui donnez des informations sur votre arrivée.

Vous vous décrivez pour qu'elle vous reconnaisse.

Les « looks » au Canada

1 Décrivez les personnes qui sont sur les photos de la page 117. Utilisez le vocabulaire du tableau.

2 Lisez le texte. Pour chaque type, complétez le tableau.

	Le décideur	Le créatif
personnalité		
vêtements		
langage		

3 Reliez les types et les photos.

4 Écoutez. À quelle photo correspond chaque phrase ?

Les « looks » dans le monde

Quels sont les modèles des gens de votre pays ? Décrivez-les.

Exemple
L'étudiant : il veut paraître... Il porte...
L'homme d'affaires : ...
L'artiste : ...

Le jeune acteur et réalisateur québécois **Xavier Dolan** au Festival de Cannes.

Guy Laliberté, homme d'affaires québécois et fondateur du Cirque du Soleil, le premier cirque d'origine québécoise de réputation internationale.

L'actrice **Karine Vanasse**.

Née en Belgique, **Cécile de France** a joué dans *L'Auberge espagnole*, dans *Les Poupées russes* et dans *Casse-tête chinois*.

La joueuse canadienne de tennis **Eugénie Bouchard**.

...ustin Trudeau, homme politique ...anadien et député libéral. Il est le ...ils aîné de l'ex-premier ministre ...u Canada Pierre Elliott Trudeau.

L'acteur **Kiefer Sutherland** avec son père Donald Sutherland à Hollywood.

▶ **Document 6**

Pour décrire une personne

• le physique
être grand, petit, de taille moyenne
mesurer/faire 1,70 m (5 pieds 6 pouces)
avoir les cheveux bruns... blonds... châtains...
roux – être brun / brune... blond / blonde
avoir les yeux bleus... marron... noirs...
être beau – avoir du charme
être mince – rond (gros)

• les couleurs
blanc – noir – bleu – violet – vert – jaune –
orange – rouge

• les vêtements
→ porter... mettre...
un costume (pour lui)
une robe – une jupe – un chemisier (pour elle)
un pantalon, une veste – une chemise –
une cravate – un tee-shirt – un chandail
des chaussures (ou des souliers) – des chaus-
settes
un chapeau – une casquette – une écharpe –
un foulard
→ un vêtement long / court... large / étroit

Les échos d'Écho sur cle-inter.com/echo

Évaluez-vous

1 Pensez-vous être capable d'établir des contacts avec des francophones ?

Pensez-vous être à l'aise dans les situations suivantes ? Répondez « oui » ou « non ».

a. Vous voulez aller au Québec. Vous avez l'adresse d'une famille québécoise qui peut vous loger. Vous leur écrivez. ...

b. Comme vous n'avez pas de réponse, vous téléphonez. ...

c. Dans l'avion pour Montréal, votre voisin francophone vous dit : « Vous êtes en vacances ? » ...

d. Le soir de votre arrivée, votre famille d'accueil vous invite à souper. ...

e. Pendant le souper, vous dites pourquoi vous êtes au Québec. ...

f. Vous racontez rapidement votre vie. ...

g. Vous parlez de votre famille. ...

h. Pendant votre séjour au Québec, vous devez prendre rendez-vous avec un professeur. ...

i. Vous êtes malade, vous expliquez votre problème à un médecin. ...

j. À la fin du séjour, vous dites quelques mots pour remercier votre famille d'accueil. ...

Comptez les « oui » et notez-vous.

.../10

2 Vous comprenez les informations biographiques.

**Complétez la biographie de Colette avec les informations suivantes. Placez ces informations au bon endroit.
Comptez deux points par réponse juste.**

(1) Willy et Colette divorcent en 1910.

(2) Pendant cette période, Colette devient directrice littéraire au *Matin*. Elle écrit beaucoup.

(3) Elle a passé une enfance heureuse dans ce village.

(4) Colette meurt 9 ans après la guerre. C'est en France la seule femme à avoir eu des funérailles nationales.

(5) Très jeune, elle a rencontré Willy, un romancier parisien. Elle se marie avec lui à l'âge de 20 ans.

.../10

Marie Trintignant dans le téléfilm *Colette*.

Colette
Une femme libre

a. Sidonie Gabrielle Colette est née en 1873 dans un petit village de Bourgogne.

b. Pour son mari, elle raconte ses souvenirs d'enfance et de jeunesse. Les romans *Claudine à l'école*, *Claudine en ménage*, etc., ont beaucoup de succès. Mais c'est Willy qui signe les livres. Willy qui a beaucoup d'aventures amoureuses.

c. Colette se sépare de Willy. Elle devient danseuse orientale au Moulin-Rouge.

d. Colette tombe amoureuse du directeur du journal *Le Matin* : Henry de Jouvenel. Elle se marie en 1912 et a une fille. Elle va rester 11 ans avec Henry.

e. Après la guerre de 1939-1945, les livres de Colette ont beaucoup de succès.

3 Vous pouvez parler brièvement de quelqu'un.

Vous êtes directeur d'un centre culturel et le scientifique Patrick Thibodeaux vient faire une conférence dans votre centre. Vous devez le présenter au public.

**À l'aide des mots suivants, rédigez votre présentation.
(Vous pouvez imaginer d'autres informations.)
Lisez votre présentation à la classe. Décidez ensemble
d'une note.**

Thibodeaux Patrick, 38 ans, né à Shédiac (Acadie)
Études : Université de Moncton, doctorat en biologie
Situation professionnelle : directeur de recherche au CRSNG
(Conseil de recherches en sciences naturelles et en génie)
Fonction : missions de coopération en Alaska, au Mexique,
en Haïti
Livres publiés : *Écologie marine, Dans les eaux de l'Atlantique*

…/10

4 Vous comprenez des informations pratiques au téléphone.

**Écoutez ces cinq situations au téléphone. Pour chaque situation, notez ce que vous faites.
Comptez deux points par réponse juste.**
Ce que je fais…
a. je recherche le bon numéro dans l'annuaire
b. je rappelle plus tard
c. je prends rendez-vous pour la semaine prochaine

d. je patiente
e. je laisse un message

Situations : 1. … - 2. … - 3. … - 4. … - 5. …

…/10

5 Vous comprenez des consignes orales.

Trouvez le dessin qui correspond à la consigne. Comptez un point par réponse juste.

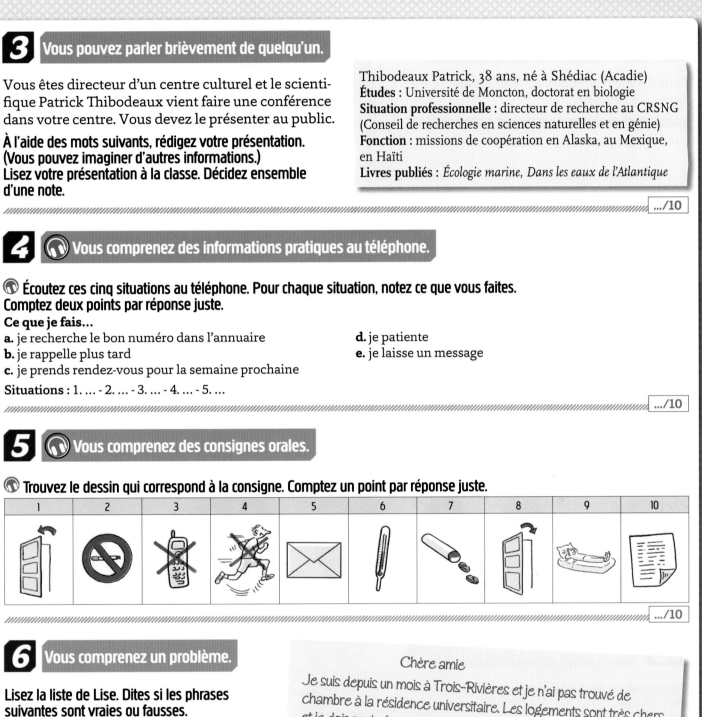

1	2	3	4	5	6	7	8	9	10

…/10

6 Vous comprenez un problème.

**Lisez la liste de Lise. Dites si les phrases
suivantes sont vraies ou fausses.**
a. Il y a un mois que Lise habite Trois-Rivières.
b. Lise a envie de partager un appartement.
c. Lise n'est pas étudiante.
d. Lise loue un appartement avec Noémie.
e. Lise dort bien dans cet appartement.
f. Flore est une étudiante sérieuse.
g. Elle passe toutes ses soirées avec des amis.
h. Elle doit faire attention à sa santé.
i. Elle ne reçoit jamais d'appel téléphonique.
j. Elle est très organisée.

Corrigez. Comptez un point par réponse juste.

Chère amie

*Je suis depuis un mois à Trois-Rivières et je n'ai pas trouvé de chambre à la résidence universitaire. Les logements sont très chers et je dois partager un appartement avec une étudiante de mon âge : Noémie. Elle est gentille mais pas très travailleuse.
Très souvent, elle reçoit des amis le soir. Ils parlent et écoutent de la musique jusqu'à deux ou trois heures du matin. En plus, Noémie et ses amis fument. Il y a toujours une odeur de tabac dans l'appartement.
Le téléphone sonne tout le temps et comme il est à côté de ma chambre, c'est toujours moi qui dois répondre.
Elle ne pense jamais à acheter à manger…*

…/10

Unité 3

7 Vous pouvez parler de votre famille.

Cette femme célèbre, née en 1880, est une de vos lointaines parentes.

Imaginez et expliquez pourquoi en quelques lignes.

« Mon grand-père, le père de ma mère était… »

…/10

8 Vous pouvez écrire un message de circonstance.

Un ami vous invite à son anniversaire le 22 mai. Malheureusement, le 23, vous devez passer un examen important.

Répondez-lui. Exprimez des remerciements, des excuses, des souhaits.

…/10

9 Vous comprenez la description d'une personne.

**Écoutez. Pierre et Marie sont à une fête. Ils parlent des invités. De qui parlent-ils ?
À quelle personne correspond chaque phrase ?**

Amélie : …   Dylan : …   Barbara : …   Émile : …   Claudie : …   François : …

a.   b.   c.   d.   e.   f.

…/10

10 Vous savez prendre un rendez-vous.

Un journaliste veut faire l'interview d'un chercheur scientifique.
Il faut 1 h 30 pour faire l'interview.
Le journaliste téléphone au chercheur pour prendre rendez-vous.

Jouez la scène avec votre voisin(e).

Décidez ensemble d'une note.

…/10

Emploi du temps du chercheur

8
9
10 } cours à l'université
11
12
13
14 } réunion projet de recherche
15
16
17
18
19 } tennis
20

Emploi du temps du journaliste

8
9
10
11
12
13 } dîner d'affaires
14
15 } interview du ministre des
16 } Finances Thibodeaux
17
18
19
20

11 Vous connaissez le Canada et les Canadiens.

Écoutez. Dites si les phrases sont vraies ou fausses. Comptez un point par réponse juste.

…/10

Vous utilisez correctement le français. ..../40

a. L'imparfait. Mettez les verbes entre parenthèses à l'imparfait.

Époque difficile

Je me souviens… Paul ne (*travailler*) pas. Il (*faire*) sa thèse. Je (*travailler*) dans un supermarché. Nous n'(*avoir*) pas beaucoup d'argent.

Nous (*vivre*) avec 1 000 $ par mois. On (*manger*) beaucoup de spaghettis.

Des amis nous (*inviter*) souvent. Tu me (*prêter*) de l'argent. Vous (*être*) sympas avec nous.

Vous nous (*offrir*) de petits cadeaux.

Notez sur ..../10

b. Imparfait ou passé composé. Caroline a écrit son journal au présent. Mettez-le au passé.

« Le 10 mai, je suis allée… »

10 mai

Le matin, je <u>vais</u> chez Julien. Il <u>habite</u> la résidence universitaire. J'<u>aime</u> bien jouer au tennis avec lui.

À 10 h, nous <u>faisons</u> une partie de tennis. Puis, nous <u>allons</u> déjeuner au restaurant du club de tennis. <u>Il y a</u> des étudiants qui <u>fêtent</u> le diplôme d'un grand brun. À un moment, le grand brun me <u>regarde</u>. Je lui <u>souris</u> et je lui <u>dis</u> : « Félicitations ! ».

Alors il nous <u>invite</u> à nous asseoir à sa table.

Notez sur ..../10

c. Des paroles rapportées.

Un collègue qui passe ses vacances dans les Laurentides vous téléphone. Vous transmettez ce qu'il dit à votre ami(e).

« Il te dit bonjour… »

« Bonjour à ton ami(e). Il fait très beau ici. Vous êtes libres le week-end prochain ? Venez passer la fin de semaine ! J'ai une chambre d'amis. N'oubliez pas vos chaussures de marche ! »

Notez sur ..../5

d. Les pronoms objet direct ou indirect. Répondez en utilisant un pronom.

• **La télé et vous**

– Vous regardez souvent la télévision ? – Oui, …

– Vous regardez les émissions de la nuit ? – Non, …

– Vous aimez bien le présentateur de TV5 ? – Oui, …

– Vous suivez la série « 30 vies » ? – Oui, …

– Vous regardez souvent le journal télévisé ? – Non, …

• **Thomas est à l'étranger**

– Thomas t'écrit ? – Oui, …

– Il te téléphone souvent ? – Non, …

– Il écrit à ses amis ? – Oui, …

– Il téléphone à son frère ? Oui, …

– Et toi, tu téléphones à Thomas ? – Oui, …

Notez sur ..../10

e. Les pronoms objets avec les verbes à l'impératif. Pierre s'est disputé avec Marie. Il vous demande conseil. Répondez en utilisant un pronom.

– Est-ce que je téléphone à Marie ? – Non, …

– Est-ce que j'écris à Marie ? – Oui, …

– Est-ce que je parle à ses amies ? – Oui, …

– Est-ce que j'invite Marie et ses amies à mon anniversaire ? – Oui, …

– Est-ce que je t'invite aussi ? – Oui, …

Notez sur ..../5

Évaluez vos compétences

	Test	Total des points
• Votre compréhension de l'oral	4 + 5 + 9 + 11	… / 40
• Votre expression orale	1 + 10	… / 20
• Votre compréhension de l'écrit	2 + 6	… / 20
• Votre expression écrite	3 + 7 + 8	… / 30
• La correction de votre français	12	… / 40
Total		**…/150**

Projet : improvisation

Les meilleures scènes de comédie sont souvent inspirées par des moments de la vie quotidienne. Voici quelques-unes de ces scènes. Lisez-les. Jouez-les ou imitez les auteurs.
Par deux, écrivez un petit dialogue sur un moment de vie quotidienne.
Jouez ou lisez votre scène devant la classe.

Le cadeau

LE PÈRE NOËL EST UNE ORDURE

Thérèse et Pierre travaillent dans un centre qui reçoit des appels de personnes en difficulté. Le soir de Noël, ils sont de garde. Thérèse offre un cadeau à Pierre.

Thérèse : Joyeux Noël, Pierre !
(Elle lui donne un paquet et l'embrasse)
Pierre : Oh merci, merci, Thérèse.
Thérèse : J'espère que c'est bien ce que vous vouliez.
Pierre : Oh Thérèse, merci beaucoup.
Thérèse : Oh, et c'est difficile de vous faire plaisir, hein, vous avez tout.
Pierre : Oh, mais Thérèse, mais rien que d'avoir pensé que c'était Noël, c'est formidable.
Thérèse : Regardez d'abord, hein…
Pierre : Oh, de l'extérieur, c'est déjà magnifique.
(Il déballe le paquet[1] et découvre un tricot plus long d'un côté que de l'autre) Oh… Eh bien, écoutez Thérèse, une serpillière[2], c'est formidable, c'est super, quelle idée !
Thérèse : C'est un gilet.
Pierre : Oui, bien sûr, bien sûr, il y a des trous plus grands pour les bras, c'est superbe, c'est amusant, je suis ravi.
(Il met le gilet) Thérèse, je suis ravi, c'est formidable, j'ai toutes sortes de pull-over mais comme ça jamais, je suis ravi, je suis ravi Thérèse [...]
Thérèse : Je me demande s'il ne serait pas un petit peu court ?

1. *déballer un paquet :* ouvrir un paquet.
2. *une serpillière :* tissu utilisé pour laver les sols.
3. *ça se rattrape :* ça se corrige.
4. *on n'y verra que du feu :* on ne le remarquera pas.

Le Père Noël est une ordure est une pièce de théâtre créée en 1979 et un film sorti en 1982. Ici, l'acteur Thierry Lhermite (Pierre).

Pierre : Sur la gauche, un petit peu, peut-être.
Thérèse : Remarquez, ça se rattrape[3] au lavage, en tirant dessus, on n'y verra que du feu[4].

Le Père Noël est une ordure, Josiane Balasko, Marie-Anne Chazel, Christian Clavier, © Actes Sud Papier, 1986

1 Lisez la scène à haute voix avec votre voisin(e). Recherchez les moments amusants.

2 Imaginez, rédigez et jouez (à deux).
• Pierre, à son tour, fait un cadeau à Thérèse.
• Un(e) ami(e) ou un(e) collègue vous offre un cadeau bizarre.

Les invités surprises

TROIS VERSIONS DE LA VIE

C'est le soir. Sonia et Henri viennent de coucher leur jeune enfant.
Ils se préparent à passer une soirée tranquille chez eux. Tout à coup on sonne...

On sonne.

Sonia *(à voix basse) :* Qui est-ce ?
Henri *(idem) :* Je vais regarder.

Il revient aussitôt
Tout ce qui suit à voix basse :

Henri : Les Finidori !
Sonia : C'est demain !
Henri : On est le 17... C'est ce soir.
Sonia : C'est une catastrophe.
Henri : Oui.
Sonia : Ils nous ont entendus ?
Henri : Qu'est-ce qu'on a dit ?
Sonia : On ne peut pas ouvrir.
Sonia : Qu'est-ce qu'on fait ?
Henri : Va te... va te recomposer[1] un petit peu.
Sonia : On ouvre ?
Henri : Ils savent qu'on est là.
Sonia : C'est une catastrophe.

Henri : Il reste quelque chose dans la cuisine ?
Sonia : On a tout fini. Pour moi, c'était demain.
Henri : C'est fondamental ce dîner pour moi !
Sonia : Tu m'accuses !
Henri : Va te changer au moins.
Sonia : Non.
Henri : Tu ne vas pas recevoir les Finidori en robe de chambre !
Sonia : Si.
Henri *(il la pousse vers le fond de l'appartement en essayant de ne pas faire de bruit) :* Va t'habiller, Sonia !
Sonia *(elle résiste à sa pression) :* Non.
Henri *(ils luttent en silence) :* Comment peux-tu être aussi égoïste ?
Nouvelle sonnerie
Henri : J'ouvre.

Yasmina Reza, © Éditions Albin Michel S.A. et Yasmina Reza, 2000.

---

1. *Va te recomposer :* Va t'habiller, te coiffer, etc.

❶ Lisez cet extrait de la pièce de Yasmina Reza, *Trois versions de la vie*. Résumez la situation.

❷ Imaginez une mise en scène (gestes, déplacements des personnages, intonations des phrases).

❸ Imaginez, rédigez et jouez un dialogue sur une situation inattendue.
Vous devez passer un dimanche avec un(e) ami(e). Au moment de partir, vous recevez un coup de téléphone ou une visite qui va changer vos projets.

La consultation chez le médecin

KNOCK

Au début du xxe siècle, les habitants du village de Saint-Maurice ne vont pas très souvent chez leur médecin, le docteur Parpalaid.
Mais le successeur de Parpalaid, le docteur Knock, est bien décidé à changer les habitudes. Il lui faut des malades.
À son arrivée, il organise une consultation gratuite.
Dans la scène suivante, il accueille la première patiente. Il l'interroge d'abord sur ses activités.

Knock : Il ne doit guère vous rester de temps pour vous soigner ?

La Dame : Oh non !

Knock : Et pourtant vous souffrez.

La Dame : Ce n'est pas le mot. J'ai plutôt de la fatigue.

Knock : Oui, vous appelez ça de la fatigue… Tirez la langue. Vous ne devez pas avoir beaucoup d'appétit.

La Dame : Non.

Knock *(il l'ausculte)* **:** Baissez la tête. Respirez. Toussez. Vous n'êtes pas tombée d'une échelle étant petite ?

La Dame : Je ne me souviens pas.

Knock : Vous n'avez jamais mal ici le soir en vous couchant ? Une espèce de courbature ?

La Dame : Oui, des fois.

Knock : Essayez de vous rappeler. Ça devait être une grande échelle.

La Dame : Ça se peut bien.

Knock : C'était une échelle d'environ trois mètres cinquante, posée contre le mur. Vous êtes tombée à la renverse. C'est la fesse gauche, heureusement, qui a porté.

La Dame : Ah oui !

Knock : Vous avez déjà consulté le docteur Parpalaid ?

La Dame : Non, jamais.

Knock : Pourquoi ?

La Dame : Il ne donnait pas de consultation gratuite.

Knock : Vous vous rendez compte de votre état ?

La Dame : Non.

Knock : Tant mieux. Vous avez envie de guérir ou vous n'avez pas envie ?

La Dame : J'ai envie.

Knock : J'aime mieux vous prévenir tout de suite que ce sera très long et très coûteux.

Jules Romains, © Éditions Gallimard, 1924.

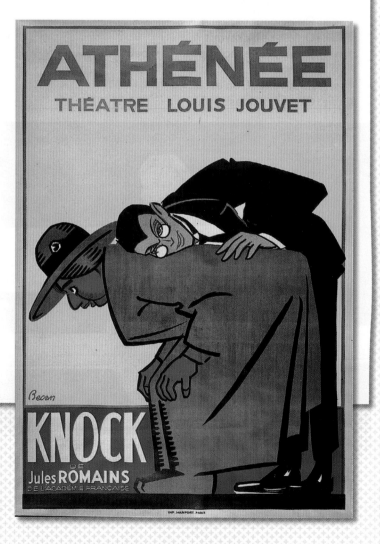

❶ **Lisez la scène. Notez ce qui est bizarre ou absurde.**

❷ **Imaginez, rédigez et jouez la scène : pour gagner de l'argent, un professionnel trompe son client.**
Le professionnel peut être un garagiste, un vendeur de vêtements, un agent immobilier, etc.

Annexes

Les nombres

Jamais deux sans trois ! | les nombres

012345
6789

De 0 à 10

0 : zéro

1 : un – 2 : deux – 3 : trois – 4 : quatre – 5 : cinq – 6 : six – 7 : sept –
8 : huit – 9 : neuf – 10 : dix

De 11 à 100

11 : onze – 12 : douze – 13 : treize – 14 : quatorze – 15 : quinze

16 : seize – 17 : dix-sept – 18 : dix-huit – 19 : dix-neuf

20 : vingt – 21 : vingt et un – 22 : vingt-deux – 23 : vingt-trois

30 : trente – 31 : trente et un – 32 : trente-deux – 33 : trente-trois

40 : quarante – 41 : quarante et un – 42 : quarante-deux
– 43 : quarante-trois

50 : cinquante – 51 : cinquante et un – 52 : cinquante-deux
– 53 : cinquante-trois

60 : soixante – 61 : soixante et un – 62 : soixante-deux
– 63 : soixante-trois

70 : soixante-dix – 71 : soixante et onze – 72 : soixante-douze – 73 :
soixante-treize

80 : quatre-vingts – 81 : quatre-vingt-un – 82 : quatre-vingt-deux -
83 : quatre-vingt-trois

90 : quatre-vingt-dix - 91 : quatre-vingt-onze – 92 : quatre-vingt-douze -
93 : quatre-vingt-treize

100 : cent – 101 : cent un – 102 : cent deux – 103 : cent trois

Après 100

200 : deux cents – 201 : deux cent un – 202 deux cent deux – 203 :
deux cent trois

1000 : mille – 1001 : mille un – 1002 : mille deux

1 000 000 : un million – 2 300 000 : deux millions trois cents mille

Orthographe

- « Vingt » et « cent » prennent un « s » quand il y a plusieurs
vingtaines ou plusieurs centaines entières.
80 : quatre-vingts – 82 : quatre-vingt-deux
106 : cent six – 200 : deux cents – 210 : deux cent dix

- On met un trait d'union (-) entre les dizaines et les unités
(à partir de l'unité « deux ») : cent vingt-trois

Opérations

10 + 5 = 15   « dix » plus « cinq » = quinze (égale « quinze »,
ça fait « quinze »)

15 – 5 = 10   « quinze » moins « cinq » = dix

10 x 5 = 50   10 multiplié par 5 ; « dix » fois « cinq » = cinquante

100 : 5 = 20   « cent » divisé par « cinq » = vingt

Les noms et les déterminants

> Une hirondelle ne fait pas le printemps.
>
> Quand le chat n'est pas là, les souris dansent.
>
> Le temps, c'est de l'argent.

Les articles indéfinis
les articles définis
les noms
les articles partitifs

Les noms

Noms masculins et noms féminins

■ **Les noms qui représentent les choses, les animaux ou les idées** sont masculins ou féminins. Il n'y a pas de règles pour connaître le genre de ces noms sauf dans quelques cas.

■ **Sont masculins :** les noms de jours (*un lundi*) – de mois (*le mois de janvier*) – de saison (*un bel automne*) – d'arbres (*un oranger*) – de langues (*le russe*)
Sont féminins : beaucoup de noms de fleurs (*une rose*) – d'îles (*la Corse*) – de sciences (*la chimie*)

■ **Les noms qui représentent les personnes** ont souvent deux formes (masculin et féminin).
La marque du féminin est souvent « **e** » : *un ami / une amie*
Mais il peut y avoir d'autres changements :
→ prononciation de la consonne finale : *un étudiant / une étudiante*
→ prononciation et doublement : *un musicien / une musicienne*
→ -er / -ère :   *un étranger / une étrangère*
→ -eur / -euse :   *un vendeur / une vendeuse*
→ -teur / -trice :   *un directeur / une directrice*

● Certains noms ont la même forme au masculin et au féminin : *un secrétaire / une secrétaire*

● Certains noms n'ont pas de féminin : *un médecin / une femme médecin*

● Les nouveaux dictionnaires proposent des formes au féminin qui sont employées au Québec mais pas beaucoup en France :
une professeur / une professeure
un auteur / une auteure

Quelques suffixes pour former des noms

■ **À partir d'un verbe**
1. nom de l'action   -*tion* (nom féminin)   répéter → *une répétition*
                           -*ture* (nom féminin)   fermer → *la fermeture*
                           -*(e)ment* (nom masculin) changer → *le changement*

2. nom de la personne qui fait l'action
                           -*eur / -euse*   vendre → *un vendeur*
                           -*teur /-trice*   organiser → *un organisateur*
                           -*ant / -ante*   participer → *un participant*

● Certains noms sont formés à partir du participe passé des verbes :
arriver → arrivé → *une arrivée*   découvrir → découvert → *une découverte*

■ **À partir d'un nom**
-*ien / -ienne*   Italie → *un Italien / une Italienne*
-*ain / -aine*   république → *un républicain / une républicaine*
                   Amérique → *un Américain / une Américaine*
-*ais / -aise*   Montréal → *un Montréalais / une Montréalaise*
-*ier / -ière*   cuisine → *un cuisinier / une cuisinière*

Les articles

	masculin singulier	féminin singulier	pluriel
Les articles indéfinis sont utilisés pour identifier une personne, une chose, une idée.	un *Je voudrais **un** dictionnaire.*	une *Voici **une** étudiante.*	des *J'ai **des** amis à Paris.* **de** (devant adjectif + nom) *Elle a **de** beaux bijoux.*
Les articles définis sont utilisés pour préciser, pour nommer une personne, une chose unique ou pour généraliser.	le *Je voudrais **le** dictionnaire de Pierre.*	la *Voici **la** sœur de Marie.*	les *Je connais **les** amis de Pierre.*
	l' (devant une voyelle ou « h ») *Voici **l'**amie de Pierre.*		
à + article défini	au *Je vais **au** théâtre.*	à la *Elle est **à la** gare.*	aux *Il écrit **aux** amis de Pierre.*
	à l' (devant une voyelle ou un h) *Elle est **à l'**hôpital.*		
de + article défini	du *Il vient **du** cinéma.*	de la *Voici l'amie **de la** secrétaire.*	des *Voici la liste **des** étudiants.*
	de l' *Elle arrive **de l'**école.*		
Les articles partitifs sont utilisés avec les noms de choses ou de personnes qu'on perçoit comme indifférenciées ou non comptables.	du *Je prends **du** sucre.*	de la *Elle boit **de la** bière.*	
	de l' *Il voudrait **de l'**eau.*		
L'absence d'article On ne met pas d'article : • devant un nom de personne (*François Martin*) ou de ville (*Madrid*) • quand on fait une liste (*départ : 8 heures – visite du château – etc.*) • sur une enseigne : *Pharmacie – Boulangerie* • dans les constructions avec préposition quand le nom a une valeur générale : *une artiste de cinéma – une cuillère à café* • dans certains titres : *Guerre et Paix* (Tolstoï)			

Le bonheur est de ce monde.   les adjectifs démonstratifs

Les amis de nos amis sont nos amis.   les adjectifs possessifs

La nuit, tous les chats sont gris.   les adjectifs indéfinis de quantité

Les adjectifs démonstratifs

Ils sont utilisés pour désigner ou montrer.

	masculin	féminin
singulier	ce *Allons dans ce restaurant.*	cette *Regardez cette photo.*
	cet (devant une voyelle ou « h ») *Allons dans cet hôtel.*	
pluriel	ces *Je prends ces livres.*	

Les adjectifs possessifs

Ils sont utilisés pour indiquer une appartenance.

La chose (les choses) appartient (appartiennent)...	masculin singulier	féminin singulier		pluriel masculin ou féminin
à moi	mon *mon frère*	ma *ma sœur*	mon (devant voyelle) *mon amie*	mes *mes sœurs*
à toi	ton *ton livre*	ta *ta maison*	ton (devant voyelle) *ton idée*	tes *tes frères*
à lui, à elle	son *son père*	sa *sa mère*	son (devant voyelle) *son écharpe*	ses *ses parents*
à nous	notre *notre cousin* *notre cousine*			nos *nos cousins*
à vous	votre *votre oncle* *votre tante*			vos *vos enfants*
à eux, à elles	leur *leur fils* *leur fille*			leurs *leurs enfants*

Les adjectifs indéfinis de quantité

La langue française peut représenter la quantité de deux manières :
• **comptable** : on se représente des personnes ou des choses différenciées ;
• **non comptable** : on se représente des personnes ou des choses comme des masses indifférenciées.

	représentation comptable	représentation non comptable
articles partitifs (voir ci-dessus)		du – de la – de l'
articles indéfinis et adjectifs numéraux	un – une – des un – deux – trois – etc.	
adjectifs indéfinis	**quelque(s)** *J'ai invité quelques personnes.* **peu de** *Peu de gens sont venus.* **beaucoup de** *Beaucoup de gens étaient en vacances.* **certain(e)(s)** *Certaines personnes étaient malades.* **chaque** *Chaque ami a reçu une invitation.* **tout (toutes)** *Tous mes amis ont répondu.*	**un peu de** *Elle met un peu de lait dans son thé.* **peu de** *Elle boit peu de vin.* **beaucoup de** *Elle boit beaucoup d'eau.* **tout (toute)** *Il a mangé tout le gâteau.*

Les mots qui représentent les noms

> Qui m'aime me suive ! | les pronoms

Les pronoms personnels

Les pronoms représentent les personnes ou les choses.

		je	tu	il – elle	nous	vous	ils – elles
Le nom représenté est introduit sans préposition.	*personnes*	me	te	le – la l' (devant voyelle)	nous	vous	les
	choses			le – la – l'			les
Le nom représenté est introduit par la préposition « à » (au, à la, aux).	*personnes*	me	te	lui	nous	vous	leur
Le nom représenté est introduit par la préposition « de » ou un mot de quantité.	*personnes*	moi	toi	lui – elle – en	nous	vous	eux – elles – en
Le nom représenté est précédé d'une préposition autre que « à » et « de ».	*personnes*	moi	toi	lui – elle	nous	vous	eux – elles

■ Constructions

Le pronom se place avant le verbe sauf dans les cas suivants :

1. Le pronom représente un nom de personne précédé d'une préposition autre que « à » :
J'ai besoin de Pierre. – J'ai besoin de lui.
Je pars avec Marie. – Je pars avec elle.

2. Le verbe est à l'impératif affirmatif.

• Vous connaissez les amis de Marie ?
– *Moi, je **les** connais.*
– *Moi, je ne **les** connais pas.*
– *Ne **les** laissez pas seuls ! Invitez-**les** !*

3. Le nom précédé de la préposition « à » est complément d'un verbe qui n'exprime pas une idée d'échange et de communication.
• *Tu as écrit à Marie ? – Je **lui** ai écrit. (idée de communication)*
• *Tu as pensé à Marie ? – J'ai pensé **à elle**. (pas d'idée de communication ou d'échange)*

Les adjectifs et les groupes qui caractérisent le nom

Bon cœur ne peut mentir. — l'adjectif qualificatif

Le mieux est l'ennemi du bien. — le complément du nom

Pierre qui roule n'amasse pas mousse. — la proposition relative

Les adjectifs

▪ L'adjectif qualificatif se place en général après le nom : *un film* **policier**

▪ Quelques adjectifs courts et très fréquents se placent avant le nom :
bon – meilleur – mauvais – grand – petit – vieux – jeune – beau – joli – demi – dernier – prochain
un **bon** *livre – un très* **vieux** *film*

▪ L'adjectif qualificatif peut se construire avec des verbes comme « être », « paraître », « sembler ».
Elle est **fatiguée**. *– Elle semble* **malade**.

Le complément du nom

La forme « préposition + nom » permet de préciser le sens d'un nom.

▪ La préposition **« à » (au, à la, aux)** est utilisée :
- pour préciser une fonction : *une cuillère à café – une boîte aux lettres – une machine à laver*
- pour décrire ou indiquer une composition : *une robe à fleurs – une tarte aux pommes*

▪ La préposition **« de » (du, de la, des)** est utilisée :
- pour indiquer une appartenance : *le portefeuille de Pierre*
- pour indiquer une origine : *un tableau de Picasso*
- pour préciser la matière : *un pantalon de velours*
- pour indiquer un lieu : *la salle de bains*

▪ La préposition **« en »** est utilisée :
- pour préciser la matière : *un immeuble en pierre (un immeuble de pierre)*
- pour préciser la forme ou la manière : *du sucre en poudre – les transports en commun – des vêtements en solde*

Les propositions relatives

La personne ou la chose caractérisée est :		
sujet	**qui**	*J'aime la viande* **qui** *est bien cuite.*
complément de lieu	**où**	*L'île de Ré est un endroit* **où** *nous allons souvent.*

▪ **Constructions**
Voici le livre **que tu m'as demandé**.
Mon ancien appartement est habité par une famille **qui vient d'Australie**.
Cette famille **qui est arrivée il y a quinze jours** *ne parle pas français.*

Les constructions verbales et les groupes qui caractérisent les actions

Qui va lentement va sûrement.

L'appétit vient en mangeant.

les adverbes
les verbes
le participe présent

Les constructions verbales

Verbe + complément	Le complément du verbe peut se construire : • **sans préposition** (complément direct) *L'hôtesse accueille les participants.* • **avec la préposition « à »** (idées de destination ou de but) *Pierre va à Paris. – Marie écrit à sa mère. – J'ai fait un cadeau à mon amie.* • **avec la préposition « de »** (idées d'origine ou de rupture) *Pierre vient de Rome. – Marie a changé de robe. – Elle manque d'argent.*
Verbe + verbe (les deux verbes ont le même sujet)	• **sans préposition** (verbes comme *vouloir, pouvoir, savoir, devoir, aimer, adorer, détester,* etc.) *Elle aime danser. – Il veut partir.* • **avec la préposition « à » quand le verbe exprime une idée de destination ou de but** *Il apprend à jouer aux cartes. – Elle continue à parler.* • **avec la préposition « de »** *Elle a fini de parler. – Il a oublié d'inviter Marie.* **N.B.** – Dans certaines constructions avec « faire » ou « laisser » (voir niveau 2), les deux verbes n'ont pas le même sujet. *Elle a fait construire une piscine. – Marie a laissé sortir sa fille de 16 ans.*
Constructions pour rapporter des paroles	La phrase rapportée est : • **une déclaration (affirmative ou négative)** *Pierre dit que Marie est sortie.* • **une interrogation** *Pierre demande si Marie rentrera bientôt.* *Il demande quand elle rentrera.* • **un ordre (un conseil, etc.)** *Le professeur nous demande de travailler.*
Verbe + que + proposition (les deux verbes ont des sujets différents)	• Quand le premier verbe exprime un savoir (*savoir, dire, voir, oublier,* etc.), un espoir (*espérer*), une opinion positive (*penser, croire*), **le verbe de la proposition complément est à l'indicatif.** *Je sais qu'il viendra.* • Quand le premier verbe exprime une obligation (*vouloir, demander, il faut,* etc.), une préférence (*aimer,* etc.), certains sentiments (*avoir peur*), **le verbe de la proposition complément est au subjonctif.** *Je veux qu'il vienne.*

Les phrases négatives et interrogatives

> Il n'y a que les imbéciles qui **ne** changent **pas** d'avis.
>
> De quoi demain sera-t-il fait ?

construction négative
construction restrictive
construction interrogative

Les phrases négatives

Cas général	**ne (n')... pas** *Elle **ne** sort **pas**. – Elle **n'**aime **pas** la pluie.*
La négation porte sur un complément introduit par un article indéfini, un article partitif ou un mot de quantité.	**ne (n')... pas de (d')** *Elle **n'**a **pas** de voiture.* *Elle **ne** boit **pas d'**alcool et **ne** mange **pas** beaucoup **de** viande.*
Comme dans le cas précédent, la négation porte sur un complément précédé d'article indéfini ou partitif, mais elle introduit une opposition.	**Ne (n')... pas un (une, des, du, etc.)** *Elle **n'**a **pas une** voiture. Elle en a deux.* *Ce **n'**est **pas de** l'alcool. C'est du soda.*
Cas des constructions « verbe + verbe » et « auxiliaire + verbe »	**« pas » se place après le premier verbe ou l'auxiliaire.** *Elle **ne** veut **pas** sortir.* *Elle **n'**est **pas** sortie.*
Cas des constructions avec un pronom complément	**« ne » se place avant les pronoms.** *Elle **ne** me l'a **pas** donné.*

Les phrases interrogatives

L'interrogation porte sur...	Formes interrogatives
toute une phrase	• Intonation : *Tu viens ?* • Forme « Est-ce que » : ***Est-ce que** tu viens ?* • Inversion du pronom sujet : *Viens-tu ? – Pierre vient-il ?* • Interrogation négative : *Ne viens-tu pas ?* • En français québécois, on peut aussi ajouter la particule interrogative -tu : *Tu viens-**tu** ?* (populaire)
le sujet d'une action	• Personnes (Qui – Qui est-ce qui) : ***Qui** veut venir avec nous ?* • Choses (Qu'est-ce qui) : ***Qu'est-ce qui** fait ce bruit ?*
le complément direct d'une action	• Personnes (qui) : ***Qui** invitez-vous ? – Vous invitez **qui** ?* • Choses (que – qu'est-ce que – quoi) : ***Que** faites-vous ? – **Qu'est-ce que** vous faites ?* *– Vous faites **quoi** ?*
le complément indirect	• Personnes (à qui – de qui – avec qui – etc.) : ***À qui** parlez-vous ?* • Choses (à quoi – de quoi – avec quoi – etc.) : ***De quoi** avez-vous besoin ?*
un choix	• Quel (quelle – quels – quelles) : ***Quel** acteur préférez-vous ? – **Dans quel** film ?*

un lieu	• Sur la situation ou la direction
	  ***Où** allez-vous ? – **D'où** venez-vous ?*
	  ***Jusqu'où** va la ligne de métro ?*
	  ***Par où** passez-vous ? – **Chez qui** allez-vous ?*
	  ***À côté de qui** / **quoi** habitez-vous ?*
	• Sur la distance
	  ***Quelle est la distance** entre Paris et Lyon ? – 430 km.*
	  ***Il y a combien de kilomètres** de Paris à Lyon ? – Il y a 430 km.*

un moment ou une durée	• Sur le moment
	  Quand... À quel moment...
	  Quel jour... Quel mois... } *part-il en vacances ?*
	  À quelle heure...
	  En quelle année... En quelle saison...
	• Sur la durée
	  – *Il y a **combien de temps** (**Ça fait combien de temps**) que vous habitez ici ? Vous habitez ici depuis combien de temps ?*
	  – ***Combien de temps** (**d'années, de mois**, etc.) avez-vous vécu en Australie ?*

Les constructions
pour apprécier et comparer

Quand on n'aime pas trop,
on n'aime pas assez.

On a toujours besoin
d'un plus petit que soi.

L'appréciation

	ne … pas assez (de…)	assez (de…) (1)	trop (de…)
noms	Je n'ai **pas assez d'argent** (pour acheter cette voiture).	Il a **assez d'**argent (pour acheter cette voiture).	Elle a **trop de** travail.
verbes	Je n'économise **pas assez**.	Il travaille **assez**.	Elle travaille **trop**.
adjectifs et adverbes	Je dépense mon argent **assez** vite.	Ce plat est **assez** salé.	C'est **trop** cher.

(1) « assez » peut avoir deux sens :
• appréciation modérée (= un peu) : *Ce film est **assez** intéressant.*
• appréciation et comparaison (= suffisamment) : *J'ai **assez de** temps pour pratiquer plusieurs sports.*

La comparaison

Comparaison des qualités (adjectifs et adverbes)	Plus … (que)	Aussi … (que)	Moins … (que)
	*Marie est **plus** grande **que** Lucie. Luc est grand. Pierre est **plus** grand. Il est **meilleur** en anglais.* • **Expression superlative** *Marie est **la plus** grande. C'est Marie qui est **la plus** grande.*	*Marie est **aussi** intelligente **que** Lucie. Marie est intelligente. Lucie est **aussi** intelligente. Elle est **aussi** bonne en anglais.*	*Lucie est **moins** grande **que** Marie. Pierre est grand. Luc est **moins** grand. Il est moins bon en anglais.* • **Expression superlative** *Lucie est **la moins** grande. C'est Lucie qui est **la moins** grande.*

Principes généraux
de conjugaison

Le présent

■ Verbes en -er
Tous les verbes en -er sauf « aller »

regarder

je regarde	nous regardons
tu regardes	vous regardez
il/elle/on regarde	ils/elles regardent

■ Autres verbes
Beaucoup de verbes ont les mêmes terminaisons que « finir », mais il y a des cas particuliers.
Voir les verbes irréguliers (p. 136).

finir

je finis	nous finissons
tu finis	vous finissez
il/elle/on finit	ils/elles finissent

■ La conjugaison pronominale
Elle utilise deux pronoms.

se regarder

je me regarde
tu te regardes
il/elle/on se regarde
nous nous regardons
vous vous regardez
ils/elles se regardent

Le passé composé

■ Avoir (au présent) + participe passé
finir

j'ai fini	nous avons fini
tu as fini	vous avez fini
il/elle/on a fini	ils/elles ont fini

■ Être (au présent) + participe passé
Avec : *aller – arriver – descendre – monter – mourir – naître – partir – passer – rester – retourner – sortir – venir – tomber.*
Avec les verbes à conjugaison pronominale.

aller

je suis allé(e)
tu es allé(e)
il/elle/on est allé(e)
nous sommes allé(e)s
vous êtes allé(e)(s)
ils/elles sont allé(e)s

se lever

je me suis levé(e)
tu t'es levé(e)
il/elle/on s'est levé(e)
nous nous sommes levé(e)s
vous vous êtes levé(e)(s)
ils/elles se sont levé(e)s

■ Accord du participe passé
1. Après l'auxiliaire « être », le participe passé s'accorde avec le sujet du verbe.
Pierre *est parti à 8 heures.* **Marie** *est restée.*
Les enfants *sont partis à 9 heures.* **Marie et sa copine** *sont sorties dans l'après-midi.*

2. Après l'auxiliaire « avoir », le participe passé s'accorde avec le complément d'objet direct du verbe quand ce complément est placé avant le verbe.
Marie et sa copine ont rencontré **deux amies** *de l'université.* (le complément d'objet direct est placé après le verbe)
Elles **les** *ont reconnu***es**. (le complément est placé avant le verbe)

L'imparfait

Il se forme en général à partir de la 1ʳᵉ personne du pluriel du présent.

avoir : nous avons → j'avais   vendre : nous vendons → je vendais

Terminaisons : *-ais, -ais, -ait, -ions, -iez, -aient.*

regarder	**savoir**	**se lever**
je regardais	je savais	je me levais
tu regardais	tu savais	tu te levais
il/elle/on regardait	il/elle/on savait	il/elle/on se levait
nous regardions	nous savions	nous nous levions
vous regardiez	vous saviez	vous vous leviez
ils/elles regardaient	ils/elles savaient	ils/elles se levaient

L'impératif

La conjugaison est proche du présent de l'indicatif ou, pour quelques verbes, du subjonctif.

■ Verbes en *-er* : terminaisons sans « s » à la 2ᵉ personne du singulier sauf quand l'impératif est suivi d'un pronom « en » ou « y ».
Vas-y ! Cherches-en !

■ Quand on utilise la forme du subjonctif, la terminaison des deux personnes du pluriel est *-ons* et *-ez.*

regarder	**aller**	**être**
regarde !	va !	sois !
regardons !	allons !	soyons
regardez !	allez !	soyez !

La conjugaison des verbes irréguliers

Les principes généraux que nous venons de présenter et les tableaux suivants vous permettront de trouver la conjugaison de tous les verbes introduits dans cette méthode.

Exemples :

- **verbe « donner »** : c'est un verbe en -er régulier. Il suit les principes généraux et ne figure donc pas dans les listes suivantes.
- **verbe « lire »** : si on trouve ci-dessous « je lis … nous lisons », c'est que les autres formes correspondent aux principes généraux : tu lis, il lit, etc.

infinitif	présent de l'indicatif	passé composé	imparfait
accueillir	j'accueille, tu accueilles, … nous accueillons	j'ai accueilli	j'accueillais
aller	je vais, tu vas, il va nous allons, vous allez, ils vont	je suis allé(e)	j'allais
apprendre	j'apprends, … il apprend, nous apprenons, … ils apprennent	j'ai appris	j'apprenais
asseoir (s')	je m'assois, … il s'assoit, nous nous assoyons, … ils s'assoient	je me suis assis(e)	je m'assoyais
attendre	j'attends, … il attend, nous attendons, … ils attendent	j'ai attendu	j'attendais
avoir	j'ai, tu as, il a, nous avons, vous avez, ils ont	j'ai eu	j'avais
boire	je bois, … nous buvons, … ils boivent	j'ai bu	je buvais
choisir	je choisis, … nous choisissons	j'ai choisi	je choisissais
croire	je crois, … nous croyons, … ils croient	j'ai cru	je croyais
comprendre	je comprends, … nous comprenons, … ils comprennent	j'ai compris	je comprenais
conduire	je conduis, … nous conduisons	j'ai conduit	je conduisais
connaître	je connais, … il connaît, … nous connaissons	j'ai connu	je connaissais
découvrir	je découvre, … il découvre, nous découvrons	j'ai découvert	je découvrais
défendre	je défends, … il défend, … nous défendons, … ils défendent	j'ai défendu	je défendais
descendre	je descends, … il descend, … nous descendons, … ils descendent	j'ai descendu	je descendais
devenir	je deviens, … nous devenons, … ils deviennent	je suis devenu(e)	je devenais
devoir	je dois, … nous devons, … ils doivent	j'ai dû	je devais
dormir	je dors, … nous dormons, …	j'ai dormi	je dormais
écrire	j'écris, … nous écrivons, …	j'ai écrit	j'écrivais
ennuyer (s')	je m'ennuie, … nous nous ennuyons, … ils s'ennuient	je me suis ennuyé(e)	je m'ennuyais
entendre	j'entends, … il entend, … nous entendons	j'ai entendu	j'entendais
envoyer	j'envoie, … nous envoyons, … ils envoient	j'ai envoyé	j'envoyais
essayer	j'essaie, … nous essayons, … ils essaient	j'ai essayé	j'essayais
être	je suis, tu es, il est, nous sommes, vous êtes, ils sont	j'ai été	j'étais

infinitif	présent de l'indicatif	passé composé	imparfait
faire	je fais, ... nous faisons, vous faites, ils font	j'ai fait	je faisais
falloir	il faut	il a fallu	il fallait
finir	je finis, ... nous finissons, ...	j'ai fini	je finissais
guérir	je guéris, ... nous guérissons, ...	j'ai guéri	je guérissais
lire	je lis, ... nous lisons, ...	j'ai lu	je lisais
mettre	je mets, ... nous mettons, ...	j'ai mis	je mettais
offrir	j'offre, ... nous offrons, ...	j'ai offert	j'offrais
ouvrir	j'ouvre, ... nous ouvrons, ...	j'ai ouvert	j'ouvrais
paraître	je parais, ... il paraît, ... nous paraissons, ... ils paraissent	j'ai paru	je paraissais
partir	je pars, ... nous partons, ...	je suis parti(e)	je partais
payer	je paie, ... il paie, ... nous payons, ... ils paient	j'ai payé	je payais
perdre	je perds, ... il perd, nous perdons, ... ils perdent	j'ai perdu	je perdais
pouvoir	je peux, tu peux, il peut, nous pouvons, vous pouvez, ils peuvent	j'ai pu	je pouvais
prendre	je prends, ... il prend, nous prenons, ... ils prennent	j'ai pris	je prenais
produire	je produis, ... nous produisons, ...	j'ai produit	je produisais
réfléchir	je réfléchis, ... nous réfléchissons, ...	j'ai réfléchi	je réfléchissais
remplir	je remplis, ... nous remplissons, ...	j'ai rempli	je remplissais
rendre	je rends, ... il rend, ... nous rendons, ... ils rendent	j'ai rendu	je rendais
répondre	je réponds, ... il répond, nous répondons, ...	j'ai répondu	je répondais
réunir	je réunis, ... nous réunissons, ...	j'ai réuni	je réunissais
réussir	je réussis, ... nous réussissons, ...	j'ai réussi	je réussissais
revenir	je reviens, ... nous revenons, ... ils reviennent	je suis revenu(e)	je revenais
savoir	je sais, ... nous savons, ... ils savent	j'ai su	je savais
sortir	je sors, ... nous sortons, ...	je suis sorti(e)	je sortais
souvenir (se)	je me souviens, ... nous nous souvenons, ... ils se souviennent	je me suis souvenu	je me souvenais
suivre	je suis, ... nous suivons, ...	j'ai suivi	je suivais
tenir	je tiens, ... nous tenons, ... ils tiennent	j'ai tenu	je tenais
traduire	je traduis, ... nous traduisons, ...	j'ai traduit	je traduisais
vendre	je vends, ... il vend, nous vendons, ...	j'ai vendu	je vendais
venir	je viens, ... nous venons, ... ils viennent	je suis venu(e)	je venais
vivre	je vis, ... nous vivons, ...	j'ai vécu	je vivais
voir	je vois, ... nous voyons, ... ils voient	j'ai vu	je voyais

Transcriptions

On trouvera ici la transcription des activités d'écoute, de la partie non transcrite des scènes des pages « Simulations », ainsi que des parties non transcrites des exercices de prononciation.

Leçon 0

p. IX – Comment vous vous appelez ?
1. *La guide :* Bonjour, Monsieur.
Le touriste : Bonjour, Madame.
La guide : Vous vous appelez comment ?
Le touriste : PELLETIER, Luc PELLETIER.
2. *La touriste :* Je m'appelle HUMPHRIES.
La guide : Comment ?
La touriste : HUMPHRIES Emily.
La guide : Vous pouvez épeler, s'il vous plaît ?
La touriste : H-U-M-P-H-R-I-E-S.
La guide : Merci.
3. *La guide :* Et toi, comment tu t'appelles ?
L'enfant : Clara MOREAU.

p. X – Vous parlez français ?
– Excusez-moi, vous parlez français ?
– Non.
– Moi, je parle français.

p. XI – Vous êtes allemande ?
La serveuse : Et voici un café.
Luigi : Merci. Vous êtes belge ?
La serveuse : Non, je suis allemande.
Luigi : Vous parlez bien français.
La serveuse : Merci. Et vous, vous êtes français ?
Luigi : Non, italien.

p. XII – Tu habites où ?
Amparo : Et... tu habites où au Canada ?
Bruno : À Caraquet.
Amparo : C'est où ?
Bruno : Au Nouveau-Brunswick.

p. XIII – Qu'est-ce que c'est ?
Luc : Qu'est-ce que c'est ? C'est un palais ?
La guide : Oui, c'est le palais du roi. [...]
La guide : Ici, c'est l'avenue Mohamed-V.
Luc : C'est une belle avenue !
La guide : Ici, c'est un beau quartier.
C'est le quartier des Oudayas.

p. XIV – Qui est-ce ?
La guide : Regardez la statue !
Hakima : Qui est-ce ?
La guide : C'est Jacques Cartier.
Hakima : Jacques Cartier ?
La guide : Oui, un navigateur, le premier navigateur français au Canada.

Leçon 1

p. 7 – Comment on prononce ?
1. Ils se présentent. Complétez le tableau.
1. Bonjour. Je m'appelle Jessica. J'habite à Montréal, au Québec. Je suis architecte. J'aime le cinéma, les cafés, les fêtes. – **2.** Je m'appelle Alexandre. J'habite à Bruxelles en Belgique. Je suis serveur dans un restaurant. J'aime la musique. – **3.** Bonjour. Je m'appelle Selma. Je suis professeur. J'habite à Abidjan, en Côte d'Ivoire. J'aime le tennis et la danse.
2. Écoutez. Voici des pays où le français est très utilisé.
1. Le Sénégal. – **2.** La Suisse. – **3.** L'Algérie. – **4.** Les Comores. – **5.** Le Canada. – **6.** La Belgique. – **7.** Le Maroc. – **8.** Le Liban. – **9.** La Martinique. – **10.** La Nouvelle-Calédonie. – **11.** La Guyane française. – **12.** La Tunisie. – **13.** L'île de la Réunion.

p. 7 – Vous connaissez ?
2. Écoutez. Associez avec la photo.
a. l'université de Mexico – **b.** les pyramides d'Égypte – **c.** le musée du Louvre – **d.** le parc du Serengeti –
e. les tours de Shanghaï – **f.** l'île de Marie-Galante.

p. 8 – Conjuguer les verbes
2. Notez l'utilisation de « tu » et de « vous ».
1. *L'homme :* Tu connais Gérard ? → *La femme :* Non. Bonjour, Gérard.
2. *Le journaliste :* Vous parlez français ?
→ *L'actrice :* Un peu.
3. *L'actrice :* Comment tu t'appelles ? → *L'enfant :* Louis.
4. *L'homme :* Excusez-moi, vous êtes Pierre Duroc ?

p. 9 – À l'écoute de la grammaire
3. Interrogation ou affirmation ?
Cochez la bonne case.
1. Je m'appelle Laura. – **2.** Je comprends le français. – **3.** Vous êtes français ? – **4.** Ah, vous êtes italien. – **5.** Vous habitez Rome ? – **6.** Vous êtes professeur ?

p. 10 – Fin de la scène 2 [...]
La jeune femme : Désolée. Je ne connais pas. Je ne suis pas de Paris.
Noémie : Pardon, monsieur. Vous connaissez la Cité universitaire ?
L'homme : Excusez-moi. Je ne comprends pas. Je suis étranger.
Noémie : Pardon. La Cité universitaire, s'il vous plaît ?
L'étudiante : C'est là.

p. 13 – Écrits et prononciation
1. Écoutez et retrouvez les mots sur les photos. Notez les sons difficiles. Observez les correspondances.
• crêperie – bibliothèque – perfection – commerce
• Crédit Lyonnais – Sénégal – cinéma – Mérignac
• culturel – coiffure – universitaire
• restaurant – bistrot – hôtel
• taxis – tourisme – bar
• centre – français
2. Notez ce qu'ils demandent. Cherchez les sons difficiles dans le tableau de la page 12.
Le parc, s'il vous plaît ?
Où est l'avenue du Mont-Royal ?
Un croissant, s'il vous plaît.
Vous connaissez la rue Ontario ?
S'il vous plaît, un café.
Où est le musée ?

Leçon 2

p. 17 – À l'écoute de la grammaire
2. Féminin ou masculin ? Écoutez et cochez la bonne case.
1. un chanteur – **2.** une rue – **3.** un cinéma – **4.** un garage – **5.** une boutique – **6.** une île – **7.** une avenue – **8.** un avion – **9.** un artiste – **10.** une étudiante.
3. Singulier ou pluriel ? Écoutez et cochez la bonne case.
1. une ville – **2.** des rues – **3.** Voici la rue Victor-Hugo. – **4.** les boutiques – **5.** le restaurant italien – **6.** Regardez : les amis de Marie ! – **7.** il y a des étrangers – **8.** les étudiants – **9.** un chanteur – **10.** une actrice.

p.18 – Fin de la scène 1 [...]
Le professeur : Les garçons ! Vous n'avez pas le rythme !
Lucas : C'est difficile.

Le professeur : Mais non, ce n'est pas difficile. Écoutez
et regardez ! Musique... 1, 2, 3, 4, 5, 6, 7, 8. 1, 2, 3... Ça va ?
Lucas : Ça va.
Le professeur : Allez, au travail. On répète !

p. 19 – Sons, rythmes, intonations
2. Distinguez « je », « j'ai » et « j'aime ». Cochez la bonne case.
1. J'aime le cinéma. – **2.** J'ai des DVD. – **3.** Je regarde les films à la télévision. – **4.** Je lis beaucoup. – **5.** J'ai beaucoup de livres. – **6.** J'aime lire. – **7.** J'ai des amis français. – **8.** Je suis canadienne. – **9.** J'aime la France.

p. 20 – Lecture de l'article
2. Écoutez. On parle de Céline Galipeau. Répondez oui ou non. Corrigez.
a. Céline Galipeau travaille à la télévision ?
b. Elle est née au Vietnam ?
c. Les Canadiens aiment Céline Galipeau ?
d. Elle aime les voyages ?
e. Elle chante à la télévision ?
f. Elle est sportive ?

Leçon 3

p. 23 – Les loisirs de deux étudiants
Écoutez. Ils parlent de leurs loisirs. Notez leurs activités.
Emma : Qu'est-ce que tu fais après les cours ?
Thomas : Du sport.
Emma : Du tennis, du basket-ball ?
Thomas : Non, je vais dans une salle de gym. Et la fin de semaine, je fais du football avec des amis. Tu fais du sport ?
Emma : Pas beaucoup. De la randonnée le week-end, un peu de ski. Je vais aussi à la piscine.
Thomas : Ben, c'est bien.
Emma : Mais ma passion, c'est la musique. Je fais du piano et du chant.
Thomas : Classique ?
Emma : Non. Chansons, comédie musicale. Tu aimes ?
Thomas : J'aime bien mais je préfère la musique classique. Je vais à tous les concerts du théâtre.

p. 26 – Fin de la scène 2 [...]
Mélissa : Demain, il n'y a pas de cours. Qu'est-ce qu'on fait ?
Florent : Je ne sais pas. On va au musée d'Orsay ?
Mélissa : Ah non, s'il te plaît. Pas un musée.
Florent : Tu veux aller à la piscine ?
Mélissa : Lucas propose « Jungle aventure » dans la forêt de Fontainebleau.
Florent : Encore Lucas !

p. 27 – Sons, rythmes, intonations
1. Le rythme. Comptez les groupes.
Elle s'appelle Amélie. ... Il s'appelle Jérémy. ... Elle travaille à Paris. ... Et lui à Chantilly. ... Ils sont inscrits ... au club « En forme ». ... Ils font des randonnées ... dans la forêt de Fontainebleau.
2. Le rythme de la phrase négative. Répondez. Répétez la réponse.
• Lucas va au cinéma ? → – Non, il ne va pas au cinéma.
• Lucas sait le rôle de Quasimodo ? → – Non, il ne sait pas le rôle de Quasimodo.
• Mélissa aime les musées ? → – Non, elle n'aime pas les musées.
• Florent aime danser ? → – Non, il n'aime pas danser.

• Lucas a le rôle de Quasimodo ? → – Non, il n'a pas le rôle de Quasimodo.

Leçon 4

p. 33 – Préciser la date et l'heure

2. Écoutez et notez leurs dates de naissance et de mort.

a. Napoléon est né en 1769. Il est mort en 1821.
b. Jeanne Mance est née en 1606. Elle est morte en 1673.
c. Marilyn Monroe est née en 1926. Elle est morte en 1962.
d. Terry Fox est né en 1958. Il est mort en 1981.
e. Nelson Mandela est né en 1918. Il est mort en 2013.

3. c. Écoutez et complétez les informations du livre.

1. *Un homme :* Allô, le cinéma Forum ?
Une femme : Oui, monsieur.
L'homme : À quelle heure commence le film *Le Jour d'après* ?
La femme : Il y a une séance à 14 h 30 et une à 18 h 15.
2. *Une femme :* Vous avez rendez-vous avec le Docteur Reeves le 10 février à 10 h 45, onze heures moins le quart.
3. *Une femme :* La bibliothèque Gaston-Miron est ouverte du mardi au samedi de 10 h à 18 h.

p. 33 – À l'écoute de la grammaire

1. Distinguez le présent et le passé.

1. J'aime les films historiques. – 2. Je suis allée au cinéma. – 3. J'ai vu *Marie-Antoinette*. – 4. C'est un bon film. – 5. Pierre est venu avec moi. – 6. Il n'a pas aimé le film. – 7. Il préfère les films policiers.

p. 34 – Fin de la scène 2

Noémie : Ah, le voilà !
Florent : Excusez-moi. Je suis désolé. J'ai dormi jusqu'à sept heures et demie.

p. 34 – Fin de la scène 3

Sarah : Félicitations à tous !
Lucas : Florent, tu as été génial !
Florent : Toi aussi, Lucas.
Lucas : Et vous tous aussi. Bravo !
Sarah : Alors, à votre santé !
Florent : À la musique !
Mélissa : À la danse !
Lucas : À l'amour !
Noémie : Et à Paris !
(Lucas suivi des autres chante) « Aux Champs-Élysées, aux Champs-Élysées… Au soleil, sous la pluie, à midi
ou à minuit… »
Lucas : Excusez-moi. J'ai un SMS.

p. 37 – Complétez l'agenda de Simon

Élise : Tu as du temps samedi ? On va à la piscine ?
Simon : Ah non, samedi, je ne peux pas. À 10 heures, je fais du karaté avec Laura. À midi, on dîne ensemble et l'après-midi, on travaille.
Élise : Vous travaillez tout l'après-midi ?
Simon : Non, mais en fin d'après-midi, Laura veut aller au cinéma. Et la journée n'est pas finie. Le soir, on est invité chez des amis.
Élise : Et dimanche ?
Simon : Dimanche, je fais une randonnée dans la forêt du Mont Orford. Mais tu peux venir. Il y a Sarah et Benjamin.
Élise : Je ne sais pas…

Simon : On part à 9 heures et on rentre à 18 heures.
Élise : Ok, d'accord, je viens.

Bilan – Évaluez-vous

p. 38 – Test 2 – Vous comprenez des informations au sujet d'une personne

a. Faites correspondre chaque question avec un mot de la fiche.

Exemple : Quelle est votre profession ? → 4
a. Où est-ce que vous habitez ? – **b.** Vous vous appelez comment ? – **c.** Vous parlez quelles langues ? – **d.** Vous êtes né(e) quand ? – **e.** Vous avez une adresse courriel ?

b. Faites correspondre l'information avec un mot de la fiche.

Exemple : Mon nom, c'est Martin. → 1
a. Voici mon numéro de téléphone : 514 848 2424. – **b.** Je suis née en Belgique, à Bruxelles. – **c.** Je suis belge. – **d.** Mon prénom, c'est François. – **e.** Je suis professeur de musique.

p. 40 – Test 9 – Vous comprenez une indication de date et d'heure

Marie a visité Gatineau. Elle répond à des questions. Complétez les informations du livre.
a. Je suis arrivée à Gatineau le dimanche 23 juin à midi et quart.
b. Je suis partie le 26 juin à 5 h le soir.
c. J'ai fait la croisière sur la rivière le mardi 25. Je suis partie à 11 h. Je suis rentrée à 15 h.
d. Je suis allée à la fête nationale du Québec. Je suis restée jusqu'à 2 h du matin.
e. En juin et juillet, le Musée canadien de l'histoire est ouvert tous les jours de 9 h 30 à 18 h, sauf le jeudi. Le jeudi le musée est ouvert de 9 h 30 à 20 h.

p. 40 – Test 11 – Vous comprenez les informations sur le Canada

Écoutez ces 10 phrases. Répondez « vrai » ou « faux ».
1. Il y a 2 millions d'habitants à Vancouver.
2. Pierre Elliott Trudeau a été premier ministre du Canada de 1968 à 1979 et de 1980 à 1984.
3. Céline Dion est une chanteuse célèbre.
4. Tous les ans, 200 000 à 300 000 immigrants arrivent au Canada.
5. Il y a 27 parcs nationaux du Québec.
6. Au Canada, on ne peut pas faire de ski.
7. Winnipeg est la capitale du Manitoba.
8. On peut faire des randonnées dans les Laurentides.
9. Jacques Cartier est un acteur.
10. Les employés au Canada ont quatre à six semaines de vacances par an.

Leçon 5

p. 51 – Fin de la scène 4 […]

Florence : Tu n'as pas oublié ta carte d'embarquement ?
Rosalie : Non, maman.
Samuel : Tu as bien noté notre adresse chez Clara et Jérôme ?
Rosalie : Oui, papa, c'est noté.
Florence : Tu n'as pas un changement de train ?
Rosalie : Oui, à Toronto.
Florence : Alors n'oublie pas de changer de train !
Rosalie : Mais non, maman.

Florence : Et fais attention à ta valise !
Rosalie : Maman, s'il te plaît, j'ai seize ans. Je ne suis pas un bébé.
Florence : Oui, tu es toujours mon bébé.
Samuel : Allez, bonnes vacances, ma chérie.
Rosalie : Bonnes vacances à vous aussi.

p. 51 – Sons, rythmes, intonations

1. Cochez le son que vous entendez.
Il va … à Faro … en bateau …
Ils font … du vélo … en Bourgogne … C'est beau …
Ton billet ? … Ta valise ? … Tu viens ? …
En forme ? … C'est bien …

p. 53 – Situations en voyage

Faites correspondre chaque scène à une photo et à une des situations du livre.
1. *L'employée d'Air France :* Bonjour, monsieur.
Un homme : Bonjour. Je voudrais réserver une place sur le vol Montréal-Paris le mercredi 8.
2. *Une femme :* Tu es sûre ? Tu as oublié le passeport ?
Son amie : Euh, je pense que oui. Je ne le trouve pas.
La femme : Regarde encore ! Ton sac est grand. Je ne veux pas manquer l'avion à cause de toi.
Son amie : Oh, je sais… Le passeport est dans ma veste.
La femme : Ouf, nous avons de la chance. Allons à l'enregistrement.
3. *Un homme :* Notre train est à l'heure. Nous avons encore une heure. Tu veux boire un café ?
La femme : Avec plaisir !
4. *Une femme :* Bonjour, madame. Je voudrais aller à l'Oratoire Saint-Joseph.
Une employée : Descendez à la station Lionel-Groulx et prenez la ligne orange direction Côte-Vertu jusqu'à la station Snowdon.
La femme : Merci beaucoup !
L'employée : Ah, j'ai oublié ! En sortant, prenez l'autobus 51 et en 2 minutes vous êtes là !
5. *L'employée d'Air France :* Bonjour, monsieur.
L'homme : Bonjour. Je voudrais annuler une réservation. Mon nom, c'est Fortin, Samuel Fortin. J'ai une réservation sur le vol Toronto-Paris.
L'employée : Le 20 mars à 17 heures ?
L'homme : Voilà. Je voudrais annuler cette réservation.

Leçon 6

p. 57 – À l'écoute de la grammaire

2. Notez l'article que vous entendez.
Liste pour le supermarché
un poulet … du pain … des tomates … de la viande … des fraises … une tarte … du riz … du café … des pommes … de la bière … des yogourts … une salade …

p. 59 – Scène 3. Transcrivez le dialogue.

La serveuse : Voici votre addition.
Samuel : Excusez-moi. Vous avez fait une erreur.
La serveuse : Une erreur ?
Samuel : On a pris quatre crêpes en tout. Pas cinq.
La serveuse : Une Parisienne, une Paysanne et deux crêpes au sucre. C'est exact. Excusez-moi !
Samuel : On vous pardonne.
La serveuse : Vous avez pris deux cafés.
Florence : Oui, mais c'est tout.
La serveuse : Donc ça fait 40 dollars.

p. 59 – Fin de la scène 4 [...]

Florence : Qu'est-ce qu'il aime Jérôme ? Tu sais, toi ?

Samuel : Il aime lire mais il n'y a pas de livres, ici.

Florence : Alors on prend deux bouteilles de cidre.

Samuel : C'est vrai, il adore le cidre !

Florence : Et pour Clara ?

Samuel : Regarde ces tartes. Je pense qu'on peut acheter une tarte pour Clara.

Florence : Une tarte aux bleuets ?

Samuel : D'accord !

p. 59 – Sons, rythmes, intonations

Préférences

Moi, j'aime la crème glacée, la crème glacée à la vanille.

Pierre adore les tartes, les tartes aux pommes.

Moi, j'adore la salade, la salade de tomates.

Pierre aime la soupe, la soupe aux légumes.

Moi, je mange du bœuf, du bœuf aux carottes.

Pierre mange des saucisses, des saucisses grillées.

p. 61 – Repas : les habitudes des Canadiens

Le journaliste : Qu'est-ce que vous mangez aux trois repas ? Et d'abord, est-ce que vous prenez trois repas ?

Le jeune homme : Non, le matin, je prends un café et j'aime bien prendre ce café dans un café. Alors c'est vrai, j'ai faim très vite le matin, mais je commence à travailler à 9 h. À midi, je vais dîner à la cafétéria. Là, je mange un repas complet : une entrée, un plat de viande ou de poisson et un dessert...

Le journaliste : Et le soir ?

Le jeune homme : Le soir, je n'aime pas souper chez moi parce que je suis seul. Je préfère aller au restaurant ou alors j'achète une pizza.

La femme : Moi, c'est différent. Le matin, je prends un bon déjeuner : du thé, des céréales avec du lait et un jus d'orange. Et mes enfants aussi prennent un bon déjeuner.

Le journaliste : Vous prenez le déjeuner ensemble ?

La femme : Non, moi en premier, puis les enfants parce qu'ils partent pour l'école à sept heures et demie. Et le dernier, c'est mon mari...

Le journaliste : Et pour les autres repas ?

La femme : À midi, je dîne au restaurant, et c'est tous les jours salade, avec du poulet ou du fromage ou du jambon, mais je prends juste une salade et un café parce que le soir, en famille, on fait un vrai repas : avec une entrée ou une soupe, un plat, du fromage et un fruit.

L'homme : Moi aussi, le soir, on se retrouve avec ma conjointe et mes enfants et on fait un repas complet. Le problème, c'est qu'à midi aussi, je fais un repas complet au restaurant.

Le journaliste : Et le matin ?

L'homme : Du café au lait avec un toast, c'est tout.

Leçon 7

p. 65 – À l'écoute de la grammaire

1. Distinguez la conjugaison pronominale.

a. Paul lave sa voiture. – **b.** Les enfants se lavent. – **c.** Florence promène son chien. – **d.** Sophie et Sylvain se promènent sur le Mont-Royal. – **e.** Vous réveillez les enfants à quelle heure ? – **f.** À quelle heure vous vous réveillez ? – **g.** Marie se prépare. – **h.** Pierre prépare le café.

2. Rythme des phrases impératives. Transformez comme dans l'exemple.

Tu dois te réveiller. → Réveille-toi !

Tu ne dois pas dormir. → Ne dors pas !

Vous devez vous lever. → Levez-vous !

Nous devons nous préparer. → Préparons-nous !

Nous ne devons pas être en retard. → Ne soyons pas en retard !

Nous devons arriver à l'heure. → Arrivons à l'heure !

p. 66 – Fin de la scène 1 [...]

Jérôme : Bonjour, Florence. Salut, Samuel !

Clara : Alors, vous avez fait bon voyage ?

Samuel : Oui, mais avec beaucoup de monde sur les routes.

Florence : Mais c'est magnifique ici !

Clara : Ça change de Montréal, hein ? Entrez !

p. 66 – Fin de la scène 3

Florence : Tu fais de la confiture de quoi ?

Clara : De fraises.

Florence : Ah bon.

Clara : Et je vais prendre aussi quelques fromages de chèvre.

Le fermier : Vous allez voir, ils sont parfaits. Combien de fromages ?

Clara : Six. Ça fait combien ?

Le fermier : Avec les 5 kilos de miel, 65 dollars.

Clara : Je peux payer avec ma carte de crédit ?

Le fermier : Crédit, débit, espèces, je prends tout !

p. 69 – Savoir acheter

2. Écoutez le début des quatre scènes. Associez chaque phrase à une photo.

a. Voici votre addition. – **b.** Voici vos légumes. – **c.** Bonjour, je voudrais ma note. Je suis Pierre Dumont. – **d.** Il fait combien, ce vase ?

4. Écoutez les scènes complètes.

Scène a

Le serveur : Voici votre addition.

Lui : C'est pour moi. Je t'invite.

Elle : Merci ! C'est gentil ! Mais à condition que je donne le pourboire.

Lui : D'accord !

Elle : Combien je dois laisser ?

Lui : Attends... 15% de 60 dollars... Ça fait 9 dollars.

Elle : Parfait, j'ai la monnaie.

Scène b

Le marchand : Voici vos légumes : deux salades et une livre de carottes. Ça fait 5 dollars et 80 sous.

La cliente : Merci ! Voici 20 dollars.

Le marchand : Vous n'avez pas 80 sous ?

La cliente : Attendez, je dois regarder dans mes poches... Et voilà, 80 sous !

Le marchand : Merci. Vous êtes gentille ! Je vous rends quinze dollars.

La cliente : Merci ! Au revoir !

Scène c

Le client : Je voudrais ma note. Je suis Pierre Dumont.

La réceptionniste : Vous avez bien trois nuits et trois déjeuners ?

Le client : C'est ça.

La réceptionniste : Voilà, ça fait 360 dollars. Vous payez comment ?

Le client : Par carte de crédit.

La réceptionniste : Alors faites votre code, s'il vous plaît... Merci.

Scène d

Elle : Il coûte combien, ce vase ?

Le vendeur : 50 dollars.

Elle : C'est cher, 50 dollars !

Le vendeur : Mais il est beau !

Elle : Oui mais regardez ici, il n'est pas en bon état.

Le vendeur : C'est pas grand-chose.

Elle : Vous pouvez faire une petite réduction ?

Le vendeur : 45 dollars. Pas moins.

Elle : 40. Allez !

Le vendeur : 40, mais c'est mon dernier prix !

Elle : D'accord !

5. Écoutez et trouvez la situation.

1. Je voudrais changer 500 euros en dollars. – **2.** Un aller-retour pour Ottawa, s'il vous plaît. – **3.** On voudrait quatre entrées : deux adultes, deux enfants de 9 et 12 ans. – **4.** Un billet pour le film *Le Passé*, s'il vous plaît. – **5.** Vous pouvez me donner un reçu, s'il vous plaît ? – **6.** Il coûte combien, ce cellulaire ?

Leçon 8

p. 71 – Écoutez l'agent immobilier

Notez sur le plan de la page 70 le nom des pièces de la maison.

L'agent immobilier : « C'est ici... Voilà, c'est une grande maison ensoleillée, au milieu d'un jardin. Ici, vous avez l'entrée et à gauche un garage... On va entrer... Excusez-moi, je passe devant vous... Alors, on entre dans un couloir et à gauche, vous avez un très grand salon avec de grandes fenêtres. Il fait 450 pi². En face, c'est la cuisine... On continue dans le couloir, on tourne à droite et là, à gauche, vous avez les toilettes puis la salle de bains, puis une chambre... et à droite, deux chambres et un petit bureau. »

p. 72 – Situer, s'orienter

4. Comment aller de la gare jusque chez Marie ? Dessinez l'itinéraire.

Pierre : Allô, c'est Pierre. Je suis à la gare.

Marie : Très bien... Je t'explique. Devant toi, tu as une avenue avec des arbres. C'est l'avenue de la Gare.

Pierre : D'accord, je vois.

Marie : Tu prends cette avenue et tu fais 200 m jusqu'à une place : la place Wilfried-Laurier. À droite, tu vas voir une église. Ça va ?

Pierre : Ça va. Je suis.

Marie : Tu prends à droite, tu passes devant l'église et tu continues jusqu'à la deuxième rue à gauche. Tourne dans cette rue, c'est la rue des Poètes et c'est ma rue. J'habite au n° 27. Tu as compris ?

Pierre : Place Wilfried-Laurier. À droite dans la rue de l'église. Deuxième rue à gauche, au n° 27.

Marie : C'est ça. À tout de suite.

p. 73 – À l'écoute de la grammaire

2. Notez l'adjectif masculin ou féminin.

petite ... original ... gratuit ... publique ... courte ... normale ... premier ... dernière ... différente ...

p. 75 – Fin de la scène 4

Clara : Florence, j'ai besoin d'aide.

Florence : Pour quoi faire ?

Clara : Regarde : 3 caisses de fraises. Et des bonnes ! On va faire de la confiture.

Florence : Oui, mais moi, la confiture, je ne sais pas faire.

Clara : Tu vas apprendre. C'est facile. Pour un kilo de fraises, il faut un kilo de sucre...

p. 77 – L'interview de Denis

Le journaliste : Denis, vous travaillez pour des éditeurs montréalais, mais vous avez décidé d'habiter à Saint-Alexis-des-Monts en Mauricie, très loin de Montréal. Pourquoi ?

Denis : D'abord, ici, ce n'est pas très loin de Montréal. Je mets quarante minutes pour aller prendre l'autobus à Maskinongé et je fais Maskinongé-Montréal en 2 heures. Donc deux heures quarante pour aller à Montréal. Je peux faire l'aller-retour dans la journée… Et puis je suis bien ici, il n'y a pas beaucoup de bruit, les paysages sont agréables.

Et aussi, je suis libre. J'organise mon travail comme je veux. Quand je n'ai pas envie de travailler, je ne travaille pas. Quand j'ai envie de travailler douze heures dans la journée, je travaille douze heures.

Le journaliste : Et il n'y a pas de mauvais côté ?

Denis : Ah oui. Je suis un peu isolé. Ici, je n'ai pas la Bibliothèque nationale. C'est difficile pour la documentation. J'ai bien Internet, mais il n'y a pas tout sur Internet ! Et puis aussi, côté professionnel, je suis un peu seul. Il n'y a pas beaucoup de dessinateurs dans la région.

Bilan – Évaluez-vous

p. 78 – Test 2 – Vous comprenez des informations au cours d'un voyage

Trouvez où on peut entendre ces informations.

1. Votre attention, s'il vous plaît. La station Bonaventure est fermée.
2. Bonjour, monsieur, votre carte d'embarquement, s'il vous plaît.
3. Le train 51 en provenance de Toronto est retardé.
4. Vol 340 à destination de Sept-Îles. Embarquement immédiat porte 24.
5. Veuillez attacher vos ceintures.
6. Voici le menu. Le spécial du chef ce soir, c'est le pâté chinois.
7. Votre attention, s'il vous plaît. Nous informons les visiteurs que le musée va fermer dans 15 minutes.
8. Aujourd'hui 2 avril. Beau temps sur l'ensemble du Québec. Quelques pluies sur les régions du sud-ouest.
9. Et n'oubliez pas nos promotions sur les articles de sport !
10. Voici votre clé. La chambre 48 est au quatrième étage. Vous avez l'ascenseur à droite.

p. 79 – Test 5 – Vous comprenez un itinéraire

Observez le plan et suivez l'itinéraire de Pierre.

Un Montréalais : Ici, vous êtes à la station Papineau. Vous allez prendre la ligne verte direction Angrignon. Vous voyez en bas du plan. Ligne verte : Angrignon. Vous allez jusqu'à la neuvième station. C'est Lionel-Groulx. Vous descendez.

Vous prenez la ligne orange, direction Côte-Vertu. Vous voyez, ici, vers la gauche. À la station Snowdon, vous descendez et vous prenez la ligne bleue, ici au centre. Vous passez la station Côte-des-Neiges. Vous descendez à la première station après Côte-des-Neiges.

p. 79 – Test 7 – Vous comprenez un emploi du temps

Notez le programme de la journée sur l'agenda.

L'animateur : Voici le programme de la journée de demain. Nous partons en autocar à neuf heures précises. Le déjeuner est servi à huit heures et demie. Donc il faut se lever à huit heures au plus tard.

À onze heures, nous arrivons au Parc national de la Jacques-Cartier. C'est un très beau parc. Nous faisons une petite randonnée et nous dînons. Nous repartons à une heure.

À deux heures, nous nous arrêtons au Parc de la Chute-Montmorency pour admirer la plus haute chute du Québec.

Nous arrivons à la ville de Québec à trois heures et jusqu'à cinq heures, nous avons une visite organisée de la ville. À cinq heures, vous êtes libres jusqu'au souper. À huit heures, on se retrouve au restaurant.

À dix heures, nous allons voir le feu d'artifice. C'est le plus beau de la région. Après, vous êtes libres de faire la fête jusqu'à minuit.

L'autocar repart à minuit précis et nous arrivons à Saguenay à deux heures et demie.

Leçon 9

p. 89 – À l'écoute de la grammaire

1. Écoutez ces phrases. Notez le temps du verbe.

Tu habites à Victoria
Tu aimes l'océan
Tu aimais la ville
Quand tu habitais rue Ontario
Je suis venu chez toi
Marie venait souvent
Nous habitions tout près
Nous sommes partis, nous aussi
Mais nous pensons à toi.

p. 90 – Fin de la scène 2 […]

Camille : Alors au milieu, c'est ma grand-mère et mon grand-père ?

François : Oui, ton grand-père était facteur.

Camille : Et ma grand-mère, elle travaillait ?

François : Tu sais, avec quatre enfants, il y avait beaucoup de travail à la maison.

Camille : À droite de ma grand-mère, je reconnais mon oncle Patrick, et là, derrière grand-père, c'est qui ?

François : Tu ne me reconnais pas ?

Camille : Dis donc, papa. Tu étais beau garçon !

François : J'étais…

Camille : Mais non, papa, tu es toujours beau… Alors lui, à côté de grand-père, c'est Thierry… pas mal non plus, et à côté de lui, c'est ma tante Mathilde ?

François : Non, Mathilde est là, à droite de Patrick. Elle avait douze ans à l'époque.

Camille : Alors, c'est qui la fille à côté de Thierry ?

François : Sa copine.

Camille : Ils se sont mariés ?

François : Tu sais bien que depuis 25 ans, je n'ai plus de nouvelles.

p. 93 – Micro-trottoir

1. *Un homme :* Moi, c'est mon grand-père maternel. Mes grands-parents habitaient la campagne. J'allais passer les vacances chez eux et mon grand-père avait un grand jardin. On était tout le temps dans le jardin et pour moi, ce jardin, c'était une forêt mystérieuse.

2. *Une femme :* J'avais une voisine musicienne. Elle jouait du piano. J'écoutais derrière sa porte. J'avais, moi aussi, envie d'être musicienne. Depuis cette époque, j'ai toujours aimé la musique.

3. *Un homme :* J'adorais ma grand-mère. Avec elle, j'ai appris à faire la cuisine et surtout le plaisir d'aller au marché, de choisir de bons produits et de préparer de bons plats ! Et voyez, je suis devenu cuisinier.

4. *Une femme :* C'est un ami de mon père. Il travaillait à l'étranger dans les ambassades et tous les trois ans, il changeait de pays. Quand il venait à la maison, il avait toujours des histoires à raconter. Je trouvais sa vie passionnante.

5. *Un homme :* Mes parents aimaient sortir, mais c'était toujours pour aller au cinéma, au théâtre, chez des amis… Heureusement, j'avais un oncle sportif. Je me souviens. Le vendredi soir, j'attendais qu'il téléphone pour me proposer d'aller avec lui faire une randonnée ou une partie de tennis.

Leçon 10

p. 98 - Fin de la scène 2 […]

Le voisin : Vous cherchez quelqu'un ?

Camille : Monsieur Patrick Thibodeaux. Il habite ici ?

Le voisin : La maison est à lui mais on ne le voit pas souvent.

Camille : Vous savez où je peux le trouver ?

Le voisin : Il voyage beaucoup. Vous le cherchez pour quoi ?

Camille : Je suis sa nièce.

Le voisin : La fille de Mathilde ?

Camille : Non de François.

Le voisin : François est revenu de Louisiane ?

Camille : Non, c'est moi. Je fais des études à Moncton.

Le voisin : Ah, je vois… Comment il va, François ?

Camille : Très bien. Vous connaissez ma famille, alors ?

Le voisin : Je les connais tous. Je suis né ici. J'allais à l'école avec votre oncle. Mais venez prendre un café à la maison.

p. 101 – Savoir-vivre au Canada

3. Transcrivez les scènes.

Scène a

L'homme : Bon anniversaire, Aurélie. Tiens, un petit cadeau pour toi.

La jeune femme : Oh, c'est trop gentil. Qu'est-ce que c'est ?

L'homme : Ben, regarde !

Scène b

Un jeune homme : Je peux vous aider ?

La vieille dame : Oh, c'est gentil…

Le jeune homme : Ça va mieux comme ça ?

La vieille dame : Oh oui, je vous remercie.

Le jeune homme : De rien, madame.

Scène c

Homme 1 : S'il vous plaît… S'il vous plaît, monsieur !

Homme 2 : Oui, qu'est-ce qu'il y a ?

Homme 1 : Vous ne pouvez pas arrêter de chanter ? C'est très énervant !

Homme 2 : Oh, excusez-moi, je ne faisais pas attention.

Scène d

Estelle et Denis : Bonjour, Sylvie !

Sylvie : Bonjour ! Comment ça va ? Vous connaissez Stéphane, mon mari ?

Denis : Non, mais on a entendu parler de lui… Bonjour, Stéphane.

Sylvie : Stéphane, je te présente Estelle, une collègue de l'université, et Denis, son compagnon.

Stéphane et Estelle : Bonjour… Enchanté(e)…

Sylvie : Et voici Juliette, notre fille.

Estelle : Bonjour, Juliette. Quel âge as-tu ?

p. 106 – Début de la scène 3

Patrick : Allô, le CRSNG ?

La réceptionniste : Oui, monsieur.

Patrick : Je voudrais parler à monsieur Dossin.

La réceptionniste : C'est de la part de qui ?

Patrick : Patrick Thibodeaux.

La réceptionniste : Je n'ai pas bien entendu. Vous pouvez répéter ?

Patrick : Thibodeaux, T-H-I-B-O-D-E-A-U-X, Patrick. Je suis directeur de recherche. J'appelle de Haïti.

La réceptionniste : Un moment... La ligne est occupée.

Vous patientez ? Vous laissez un message ?

Patrick : Non. Je rappelle plus tard.

La réceptionniste : Attendez, monsieur Dossin a terminé. Je vous le passe.

Patrick : Merci.

M. Dossin : Allô !

Patrick : Bonjour, monsieur. C'est Patrick Thibodeaux. Je vous appelle pour mes fonds de recherche.

M. Dossin : Je regrette, monsieur Thibodeaux.

[...]

p. 109 – Que faire en cas d'urgence ?

a. – 911, quelle est l'adresse de l'urgence ?

– 26 rue Victoria. Envoyez les pompiers !

– Quel est le problème exactement ?

– Il y a une voiture en feu en face de chez moi. J'ai peur que ma maison brûle aussi.

– Je vous envoie les pompiers.

b. – 911, quelle est votre urgence ?

– Je vous appelle parce que je suis dans la rue... et une dame âgée est tombée. Elle n'est pas bien du tout.

– Elle parle ?

– Non, elle est sans connaissance.

c. – Clinique dentaire.

– Bonjour. Est-ce que je pourrais avoir un rendez-vous en urgence ? J'ai très mal à une dent.

– Depuis quand ?

– Depuis hier soir. Je n'ai pas dormi de la nuit.

– Attendez... Je vais voir... Ça va, venez tout de suite. On va vous prendre.

d. – Allô, le poste de police ?

– Je vous écoute.

– Je vous appelle parce que mon voisin fait beaucoup de bruit. Il met la musique très fort, toute la nuit. C'est la troisième nuit que je ne dors pas !

– On entend le bruit de la rue ?

– Bien sûr. Dans l'immeuble d'en face non plus, ils ne peuvent pas dormir.

– Bon, on va venir.

p. 113 – À l'écoute de la grammaire

1. Écrivez le nom de la personne dans la bonne colonne.

directeur – chanteuse – artiste

sportive – secrétaire – vendeur

médecin – pharmacien – infirmière

écrivain – journaliste – danseur

étudiante – serveuse – professeur

p. 114 – Scène 1

Patrick : Allô !

Camille : Bonjour. Je suis Camille.

Patrick : Camille, ma nièce ! Comment vas-tu ?

Camille : Ça va. Je suis contente de vous avoir trouvé.

Patrick : Il faut me tutoyer, Camille.

Camille : D'accord.

Patrick : Dis-moi. Je dois venir à Shédiac, le 2 décembre. On peut se voir.

Camille : Le 2, c'est impossible. J'ai un examen.

Patrick : Écoute. Je dois rester à Shédiac toute la semaine du 2.

Camille : Alors, le 4, le mercredi 4, c'est bien pour moi.

Patrick : Super. On va avoir des choses à se dire. Et puis tu vas rencontrer ma conjointe.

Camille : Avec plaisir !

Patrick : Donc, tu viens à la maison vers quelle heure ?

Camille : Vers 11 h. Ça va ?

Patrick : C'est parfait.

p. 116 – Les « looks » au Canada

4. À quelle photo correspond chaque phrase ?

1. Elle porte une robe de soirée noire.

2. Il a une veste et une chemise noires.

3. Elle est blonde. Elle a les cheveux longs. Elle a mis une robe bleue courte.

4. Il porte une chemise bleue et un pantalon blanc.

5. Il a une chemise orange et un pantalon noir.

6. Elle porte un jean bleu et un tee-shirt blanc avec des rayures.

p. 119 – Test 4 – Vous comprenez des informations pratiques au téléphone

Reliez les situations et les réponses ou les actions.

1. – Bonjour, je voudrais parler à monsieur Martineau.

– Ah, je suis désolé, monsieur Martineau est absent pour la semaine.

2. – Bonjour, je voudrais parler à monsieur Martineau.

– Vous faites erreur, madame. Il n'y a pas de Martineau ici.

3. *(répondeur)* « Vous êtes bien chez Jacques Martineau. Je suis absent pour le moment. Merci de me laisser

un message. Je vous rappelle dès mon retour. »

4. – Bonjour, je voudrais parler à monsieur Martineau.

– Il est en ligne.

5. – Bonjour, je voudrais parler à monsieur Martineau.

– Ah, il est en réunion jusqu'à 11 heures !

p. 119 – Test 5 – Vous comprenez les consignes orales

Trouvez les dessins qui correspondent aux consignes.

a. Il est interdit de fumer.

b. Entrez !

c. Pouvez-vous fermer la porte, s'il vous plaît ?

d. Envoyez-moi un message de confirmation.

e. Complétez ce formulaire.

f. Ne m'appelez pas ce soir.

g. Restez couché !

h. Prenez deux cachets le soir.

i. Ne faites pas de sport.

j. Prenez votre température.

P 120 – Test 9 – Vous comprenez la description d'une personne

À quelle personne correspond chaque phrase ?

1. Émile, c'est le gros. Il porte un costume gris.

2. Amélie est grande. Elle est blonde. Elle a les cheveux courts.

3. Dylan est le seul à porter des lunettes.

4. François est mince et grand. Il porte un pantalon noir, une veste rouge et une cravate.

5. Barbara a des cheveux longs. Elle est brune.

6. Barbara porte une jupe verte et un chemisier blanc.

7. Amélie porte une robe jaune.

8. Claudia porte un chapeau.

9. Dylan est petit. Il porte un jean et une chemise noire.

10. François est le seul à porter la barbe.

P 120 – Test 11 – Dites si les phrases sont vraies ou fausses

a. Au Canada, 75 % des couples sont mariés.

b. Le nombre de Canadiens célibataires est de 40 %.

c. Beaucoup de couples ne restent pas mariés toute leur vie.

d. On peut dire tout de suite « tu » à un collègue de travail.

e. On peut vouvoyer quelqu'un et l'appeler par son prénom.

f. Quand on est invité, on arrive un peu en avance.

g. Quand on vous offre un cadeau, il ne faut pas l'ouvrir tout de suite.

h. Quand il y a un accident grave, il faut appeler 911.

i. On ne peut pas acheter certains médicaments sans une ordonnance du médecin.

j. Quand les parents divorcent, ils se partagent la garde des enfants.

Carte du Québec

Le Canada touristique

Des montagnes au Yukon

Une aurore boréale dans
les Territoires du Nord-Ouest

Des ours polaires au Nunavut

La ville de Saint-Jean
à Terre-Neuve

La capitale de la Colombie-
Britannique : Victoria

La baie de Fundy
au Nouveau-Brunswick

La ville de Vancouver,
en Colombie-Britannique

Le phare de Peggys Point,
à Peggys Cove,
en Nouvelle-Écosse

Le lac Moraine, en Alberta

Le rocher Percé, au Québec

La ville de Calgary, en Alberta

Les chutes du Niagara, en Ontario

Le Château Frontenac à Québec,
au Québec

Des bisons au Manitoba

La tour CN à Toronto, en Ontario

Le Parlement à Ottawa, la capitale
fédérale, en Ontario

Le centre-ville de Montréal,
au Québec

Visite de Montréal

Le métro à Montréal

Direction de la production éditoriale : Béatrice Rego
Marketing : Thierry Lucas
Édition : Charline Heid-Hollaender et Laurie Millet
Couverture : Griselda Agnesi
Conception et réalisation : Miz'enpage et Domino
Illustrations : Conrado Giusti (pages « Simulations ») – Jean-Pierre Foissy (pages « Ressources ») – Chantal Aubin (p. 108)

Le DVD-Rom

Le DVD-Rom contient les ressources vidéo et audio de votre méthode (livre de l'élève et cahier d'exercices).

Vous pouvez l'utiliser :

• Sur votre ordinateur (PC ou Mac)
Pour visionner la vidéo, écouter l'audio, extraire l'audio et le charger sur votre lecteur mp3 ou convertir les fichiers mp3 en fichier audio Windows Media Player (PC) ou AAC (Mac) et les graver sur un CD audio à usage strictement personnel.

• Sur votre lecteur DVD compatible DVD-Rom
Pour visionner la vidéo et écouter l'audio.

Mode d'emploi et contenu du DVD-Rom
Pour afficher le contenu du DVD-Rom, il est nécessaire d'explorer le DVD à partir de l'icône du DVD. Après insertion du DVD-Rom dans votre ordinateur, celui-ci s'affiche dans le poste de travail (PC) ou sur le bureau (Mac).
- **Sur PC :** effectuez un clic droit sur l'icône du DVD et sélectionnez « Explorer » dans le menu contextuel.
- **Sur Mac :** cliquez sur l'icône du DVD.

Dans le cas où la lecture des fichiers vidéo ou audio démarre automatiquement sur votre machine, fermez la fenêtre de lecture puis procédez à l'opération décrite ci-dessus.

Le contenu du DVD-Rom est organisé de la manière suivante :

• un dossier AUDIO
Double-cliquez ou cliquez sur le dossier AUDIO. Vous accédez à deux sous-dossiers : Livre de l'élève et Cahier d'exercices.

Double-cliquez ou cliquez sur le sous-dossier correspondant aux contenus audio que vous souhaitez consulter.

Afin de vous permettre d'identifier rapidement l'élément audio qui vous intéresse, les fichiers audio ont été nommés en faisant référence à la leçon à laquelle le contenu audio se rapporte (L01 pour la leçon 1, L02 pour la leçon 2, etc.). Les noms de fichier font également référence au numéro de page et à l'exercice ou l'activité auxquels ils se rapportent.

• un dossier VIDÉO
Double-cliquez ou cliquez sur le dossier VIDÉO. Vous accédez à deux sous-dossiers : Vidéo VO et Vidéo VOST.

Double-cliquez ou cliquez sur le dossier correspondant aux contenus vidéo que vous souhaitez consulter (VO pour la version originale sans les sous-titres, VOST pour la version originale avec les sous-titres en français).

Double-cliquez ou cliquez sur le fichier vidéo correspondant à la séquence que vous souhaitez visionner.

> Les fichiers audio et vidéo contenus sur le DVD-Rom sont des fichiers compressés. En cas de problème de lecture avec le lecteur média habituel de votre ordinateur, installez VLC Media Player, le célèbre lecteur multimédia open source.
> Pour rappel, ce logiciel libre peut lire pratiquement tous les formats audio et vidéo sans avoir à télécharger quoi que ce soit d'autre.
> → Recherchez « télécharger VLC » avec votre moteur de recherche habituel, puis installez le programme.

Le DVD

Épisode 1 – Alice
Épisode 2 – Antoine
Épisode 3 – Au revoir, Alice !
Épisode 4 – Au travail, Antoine !
Documents France 24
1. Bienvenue aux touristes
2. Allez la France !
Épisode 5 – Rencontre
Épisode 6 – On se retrouve
Épisode 7 – Deux pour un appartement
Épisode 8 – Un appartement pour deux
Documents France 24
3. Le TGV Est
4. Le festival de Mougins
Épisode 9 – Visite des parents

Épisode 10 – Alice cuisine
Épisode 11 – Coup de stress
Épisode 12 – Enfin, ils partent !
Documents France 24
5. Féria à Bayonne
6. Les Catherinettes
Épisode 13 – Casting
Épisode 14 – Débordé
Épisode 15 – Dans la peau du lapin
Épisode 16 – Future star
Documents France 24
7. Après Vélib', Piélib'
8. Élection présidentielle

Ce disque est un DVD-Rom qui contient des ressources vidéo et audio.

Vous pouvez l'utiliser :

Sur votre ordinateur (PC ou Mac)
- Pour visualiser la vidéo
- Pour écouter l'audio
- Pour extraire l'audio et le charger sur votre lecteur-mp3
   ou pour en graver un CD-audio <u>à votre usage strictement personnel</u>

Sur votre lecteur DVD (compatible DVD-Rom)
- Pour visualiser la vidéo
- Pour écouter l'audio